劣化する民主主義

宮家邦彦
Miyake Kunihiko

PHP新書

劣化する民主主義

目次

第三章　「一発屋興行師」だったトランプ

第四章　失われる地政学的優位

序章

米国の自信喪失を考える

米議会襲撃で始まった二〇二一年

二〇二一年一月六日、新年早々ついに恐れていた事件が起きた。過激な陰謀論を盲信するトランプ主義者の群衆が、ワシントンの連邦議会議事堂を襲撃したのだ。銃撃戦などで警備・群衆の双方に死者五人を含む多くの死傷者が出たという。大半の米国人にとって白亜の議事堂は、ホワイトハウス、最高裁判所と並ぶアメリカ民主主義の「聖域」だ。この日は米国史の汚点の一つとして長く記憶されることだろう。

事件の異様さと米国市民が受けた衝撃の大きさを日本の読者に説明するのは難しい。誤解を恐れず言えば、①日本で世論を二分する総選挙が行なわれ、②敗北候補者を信奉する過激な武装集団が、③腐敗政治家と高級官僚からなる「影の政府」が日本を実質支配するという陰謀論を信じ、④次期首相を決める首班指名選挙が行なわれる国会議事堂に、⑤暴力で乱入し、多数の死傷者を出すような事態を想像してほしい。

議事堂に侵入したのは「極右集団『プラウドボーイズ』幹部や陰謀論集団『Qアノン』の説を説く有力者、ネオナチ集団のメンバー」だったと米有力紙は報じている。筆者は「米民主主義への挑戦」などという大上段の議論をするつもりはない。だが、ネット上で流れた映像を見る限り、襲撃者の大半は破壊や暴力を厭《いと》わない白人過激主義者の集団、筆者が「ダー

ワシントンの連邦議会議事堂を襲撃する群衆（2021年1月6日、写真提供：AA／時事通信フォト）

クサイド」と呼んできた集団の過激分子のようだ。
それにしても不思議なのは、こんな連中の支持を得てきたトランプ氏の熱烈な信奉者が日本にも少なくないことだ。トランプ氏の反中姿勢を評価したい気持ちもわからないではない。だが今回、議会議事堂内外で起きた暴力行為の記録ビデオを見れば、彼らもトランプ氏に対する評価を変えるのではないか。もし変えないのなら、残念ながら彼らには「トランプ現象」の本質が見えていない、ということだろう。

ダークサイドの覚醒

それはさておき、この「ダークサイド」、もちろん学術用語ではない。「トランプ現象」を分析するなかで筆者が思い付いた言葉だが、何と映画『スター・ウォーズ』ですでに使われていた。「フォースのライトサイド」を代表する「ジェダイ」の宿敵が「ダークサイド」であり、「ダークサイド」の使用者は「恐れ、怒り、憎しみ、攻撃性といった暗い感情から力を引き出す」のだという。まさに「トランプ現象」そのものではないか。

では、この「ダークサイド」、筆者はいつごろから使い始めたのか。思い立って調べてみたら、初出は何といまから五年前の二〇一六年三月、当時連載していた『週刊新潮』のコラム中だった。

同コラムでは「トランプ現象」につき、次のとおり書いている。幸い、いま読み返してみても、そう間違ったことは書いていない。それどころか、あの時点でトランプ氏の「打たれ強さ」にも言及しており、正直ほっとした。

●トランプは米内政混乱の原因ではなく、結果である
トランプ旋風は米共和党内だけの現象ではない。理由は、彼がアメリカ社会の「ダークサイド」を代弁する政治家だからだ。トランプ支持者の中核が「白人・男性・低学歴・ブルーカラー」であることは前々回書いた。トランプ現象の原因は彼らの現状（とワシントン）

に対する怒りと不信であり、社会の「影」の部分に溜まるマグマが噴出し始めた結果に過ぎない。

●トランプ現象は米国だけでなく、欧州にも存在する

今回の出張で最大の知的収穫は、トランプ現象と欧州での醜い民族主義の再台頭が同根だと確信できたことだ。「非キリスト教徒移民の流入」による「既得権喪失の恐怖」が既存の「エスタブリッシュメント」に対する欧州人の「怒りと不信感」を必要以上に増幅している現象は、その本質において、米国のトランプ台頭と同じだ。この種の現象は今後世界中に拡散していくだろう。

●トランプはレッドカードを受けても退場しない

何故トランプ現象は続くのか。……トランプは酷い人種・宗教・女性差別発言を繰り返しても「退場」しない。審判がレッドカードを出しても、観客の大ブーイングで出場が許されるなら、もうサッカーではない。こんな茶番を許している責任の一部は売り上げと視聴率を優先する米国メディアにもある。トランプ現象の根は意外に深いのだ。

さらに筆者は、この前週のコラムでこうも書いている。

●ドナルド・トランプが強い理由はその知性でも行動力でも資金力でもない。トランプは二十一世紀の情報化社会が生んだ共和党の疫病神だ。彼を支持するのは米国の非エリート層、極論すれば、白人、男性、低学歴、ブルーカラーの落ちこぼれ組だ。

●過去数十年間に米国の富が一部富裕層に集中する一方、彼らの生活水準は低下した。更に、近年は彼らに代わってアフリカ、ヒスパニック、アジア系少数派米国人が台頭した。これに不満を持つ彼らは、既得権益をメキシコ系やイスラム系の新参移民に脅かされると信じ、人種差別的で排外主義的な暴言にもかかわらず、トランプ候補を支持する。

●これら不満層は米国有権者の二割を占めるとの分析もあり、トランプは失速しないだろう。米国の政治評論家はトランプ現象を過小評価してきたが、こうした傾向は民主党にも見られる。これこそヒラリー・クリントンが苦戦している理由でもあるのだ。

「トランプ現象」は消えない

トランプ氏は集会に参加した支持者たちが連邦議会を襲撃し、死傷者まで出す大事件を起こす、と事前に予想しなかったのか。一月六日午前十一時、ホワイトハウス前の広場で開かれた支持者集会で、トランプ氏は「議会議事堂まで一緒に歩こう。そして、上下両院の議員が勇敢な行動をとる様子を応援しよう……我々は力を示さなければいけないし、強くなければならない」と訴え、集まった群衆を大いに嗾《けしか》けている。

案の定、同集会終了直後、集会出席者は大挙して連邦議会議事堂や議員会館に押し寄せ、暴徒化した。大統領の演説で大胆になり、大統領も自分たちとともに議事堂に乗り込んでくれるとでも信じたのだろうか。この事件には共和党連邦議員ですら反発した。議会では米憲法修正二五条発動や再度の大統領弾劾、さらには暴動煽動罪の適用などでトランプ氏を辞任に追い込もうとする動きが表面化している。

トランプ氏の政治生命もこれで終わりなのか。残念ながら、そう考える御仁《ごじん》はCNNの見過ぎである。冒頭、「トランプ現象」は「ダークサイド」の結果だと書いた。されば、トランプ氏が失脚しても「トランプ現象」は残るのだ。さらに恐ろしいのは将来、トランプ氏よりはるかに若く、賢く、かつ政治的に洗練された白人ナショナリスト・ポピュリストの政治家が「ダークサイド」を濫用《らんよう》しようとする可能性だろう。

たしかに、今回の議事堂襲撃事件で「トランプ運動」は政治的エネルギーを失うかもしれない。だが、本人の名誉のため名指しはしないが、「ダークサイド」という麻薬の魅力に取り憑かれた一部の共和党政治家は「トランプ失脚」を待ち望んでいるはず。されば、米国社会の「内向き傾向」と国内政治の劣化は今後も続く可能性が高いだろう。日本や欧州の同盟国にとっても厳しい試練が続くことを意味する。

米国、そして日本は何をすべきか

それでは、われわれはいったい何をすればよいのか。まず米国から始めよう。過去二百数十年間、米国はアメリカン・ドリーム実現の機会を新たな移民たちに与えることによって、社会全体のエネルギーを拡大してきた。しかしいま問われているのは、このアメリカ合衆国のエネルギーをどうやって「忘れられた白人貧困層」にも裨益《ひえき》させ、国家としての一体感を回復していくかである。

この試みが成功しない場合、次に来るのはアメリカ社会の「自信喪失」現象だろう。筆者に言わせれば、北アメリカ大陸の「豊かさ」はいまも圧倒的であり、現在の技術水準のままでも、米国には追加的移民を十分吸収できる余力がある。問題はそのことをいかにして草の根のアメリカ人、とくに中流以下の白人労働者層たちに自覚させるかであろう。

それは容易なことではない。とくに「自信満々」の白人層が一度自信を喪失すれば、その取扱いはますます厄介になる。たしかに、十九世紀のフロンティア消滅期や二十世紀初めの大恐慌時代以降、多くの米国人が自国の経済的発展に限界を感じ、自信を喪失して、米国の「内向き傾向」が強まった時期は何度かある。その都度「理念」が「現実」に駆逐され、国内で利益配分をめぐる争いや混乱が生じてきたことも事実だ。

それでも米国について、筆者は楽観的だ。日本も、米国の「自信喪失」現象を過小評価せず、米国とともに自国経済社会の再活性化を図るべきである。これまで米国人は、フロンティアの消滅を「海外進出」により、また大恐慌を「技術革新」により、いずれも力強く危機を乗り越えてきた。米国という豊かな国の移民の子孫たちには新たな試練を乗り切る力が十分ある、と筆者は考える。

むしろ懸念するのは日本のほうだ。一九四五年以来現在に至るまで、東アジアで日本は世界のどの国よりも恵まれた安全保障環境のなかで安住してきた。われわれは痛みを伴う改革や長年の宿題に手を付けなくても、経済的繁栄を享受できたからである。ところが二十一世紀に入り、日本にとって理想的な安全保障環境は失われ、日本人はこれまで積み残してきた制度改革を自ら進めざるをえない状況に追い込まれている。

本書の第一章では、こうした問題意識に基づいて書かれた八つの「日本の戦後の宿題」を再録する。具体的には、①国家非常事態宣言、②対外諜報機関創設、③空想的平和主義の克服、④国会審議の活性化、⑤公務員制度改革、⑥司法制度改革、⑦ジャーナリズムのあり方、⑧憲法改正の八つを取り上げ、今後の日本の国家としてのあり方を真面目に論じたつもりだ。

続いて第二章では「ダークサイド」を多角的に取り上げる。こうした現象は米国の専売特許ではなく、欧州はもちろん、日本にも起こりうる現象だからだ。同時に、中国、朝鮮半島など東アジア情勢や、イラン、湾岸地域など中東情勢の分析に加え、AI（人工知能）やIT技術などについても触れている。読者の皆様に国際情勢に対する新たな視点を提供できれば、筆者にとって望外の幸せである。

最後に、第三章ではトランプ政権についてさまざまな分析を試みた小論を、また第四章では戦略論や地政学的発想について書いた小論を取りまとめてある。いずれも、もともとは雑誌『Voice』の「巻頭言」として書かれたものであり、字数や内容に限界はある。ここでも読者の皆さんと従来とは異なる新しい発想や視点を共有できれば有難い、と思っている。

第一章

日本の宿題——なぜ手をつけないのか

国家非常事態宣言を出せない日本

二〇二〇年三月初旬、珍しく筆者は賭けに出た。全米日米協会からケンタッキー州での講演を依頼され、二泊四日の強行軍で訪米すると決めたのだ。同州レキシントン市を出発した三月六日午後、ケンタッキー州で初の新型コロナウイルス感染者が見つかった。州知事は直ちに非常事態を宣言、その後瞬《また》く間にウイルス感染は米国全土に拡大していった。タイミング的にはギリギリ、いまなら米国出張など不可能だろう。

それはさておき、筆者がケンタッキーに到着した四日、サンフランシスコ沖ではウイルス感染の疑われた豪華クルーズ客船が立ち往生していた。乗員乗客は約三五〇〇人、あれ、これって二月に横浜で大騒ぎになったクルーズ客船とオーナーが同じじゃないか。二月には新型ウイルス対策の不手際で日本政府が右往左往したが、三月初旬、今度は米国でウイルス感染をめぐる静かなパニックが始まった。

それにしても、当時のウイルス感染に関するトランプ発言は支離滅裂《しりめつれつ》。「パニックなど不要。専門家がしっかり対応している」などとツイートを繰り返し、挙句《あげく》の果てには「外出しても治った人びとは数多くいる」などと言い出す始末。そのトランプ氏も三月十三日、ホワイトハウスの前庭で記者会見し、ついに「国家非常事態」を宣言した。ようやく米国でもホワイ

サンフランシスコ沖で立ち往生するクルーズ船（写真提供：AFP＝時事）

トハウス主導の危機管理が始まったようだ。

一方、日本では「国家非常事態」宣言など出なかった。出ないというより、必要な法律がないから、出せなかったのだ。新型コロナウイルス感染拡大に対応すべく安倍晋三政権が「新型インフルエンザ等対策特別措置法」改正案を国会に提出したのは三月十日。同改正案は異例のスピード審議で三月十三日に成立したが、その目玉である「新型インフルエンザ等緊急事態」も、直ちには宣言されなかった。

生物化学兵器関連法令の適用除外、敵国の資産凍結まで

以上、新型ウイルスをめぐる日米両国政府の対応ぶりを比べてみると、日本には、私権制限などの強制措置を含め、さまざまな緊急事態に対応できる包括的制度がないことをあらためて痛感する。一九四五年以来、日本は何をしてきたのか。平和国家の名の下に、過去七十余年、本来なら当

然片付けておくべき多くの宿題を放置してきたのではないか。その一つ、「国家非常事態法制」を取り上げたい。

二〇二〇年三月十六日現在、世界では一五の国家・地域が非常事態または緊急事態を宣言している。報道によれば、これらはイタリア、パレスチナ、フィリピン、ハンガリー、チェコ、スロバキア、モルディブ、スペイン、米国、ブルガリア、リビア、カザフスタン、レバノン、セルビア、南アフリカであり、本稿脱稿後も、やはり同種の宣言が世界各地で続いた。

これら宣言の法的効果など詳細は国によって異なる。だが、各国に共通するのは、未知のウイルスのパンデミック（世界的流行）だけでなく、広く外国からの侵略、テロ、騒乱、大規模自然災害、原発事故などの非常事態に対応するため、迅速かつ適切に必要な措置を立案実行する権限を当該国の最高政治指導者に与える基本法をもっていることだ。米国の例でより詳しく説明しよう。

トランプ氏が宣言した国家非常事態は、一九七六年九月に成立した国家非常事態法（The National Emergencies Act＝NEA）に基づくものだ。同法の国家非常事態宣言により米国大統領は危機に際し、別途国家非常事態関連諸法令が付与する一三六の非常事態特別権限を行使することができる。一方、連邦議会は法的拘束力をもつ両院合同決議により、大統領の非常事態宣言を停止することができる。

上記の一三六の特別権限は、今回のような一九八八年スタッフォード法の「大災害」対応権限に基づく伝染病対策だけではない。非常事態宣言で大統領が得られる権限は、人体実験禁止を含む生物化学兵器関連法令の適用除外、大気清浄法の適用除外と罰則免除、国防予算による軍事建設計画の承認と実施、国家緊急経済権限法に基づく敵国の資産凍結など、きわめて広範かつ強力なものである。

公共の利益を守るのが真の民主主義

こうした米大統領の「国家非常事態宣言」に比べれば、日本の「新型インフルエンザ等緊急事態宣言」などかわいいものだ。改正法によれば、「都道府県知事は新型インフルエンザ等緊急事態において」「みだりに外出しないことその他の必要な協力を要請」でき、「特に必要があると認めるときに限り、当該施設管理者等に対し、当該要請に係る措置を講ずべきことを指示することができる」とされている。

一部の野党議員は、こうした規定により政府は「市民イベントさえ禁止でき」「首相が民放テレビ局に指示すること」すらできると批判する。もちろん、国民の基本的人権が不当に侵害されてはならない。しかし、疫病パンデミックを含む「国家非常事態」においては、国民一般の公共の利益を守るために個人の人権がある程度制限されることも想定されるだろう。これが真の民主主義ではないか。

かつて日本でも、二〇〇五年の通常国会での「緊急事態基本法」成立につき自民・民主・公明三党の合意があったものの、直後の郵政民営化総選挙により実現しなかった経緯がある。今回の新型ウイルス対策では世界各国が非常事態宣言により強力な措置をとっている。されば、いまからでも決して遅くはない。日本版の包括的な「国家非常事態」法制という戦後長く残っている宿題にいまこそ手を付けるべきである。

対外諜報機関をアユ料理にたとえれば

日本には「インテリジェンス（以下、諜報・インテル）」の専門家と称する人びとが少なくない。しかし、筆者の知る限り、真の意味でインテリジェンスとは何かを正しく理解し、実際に経験した人物は決して多くない。

多くの一般読者は「諜報機関」と聞けば、『007』シリーズのジェームズ・ボンドや『ミッション・インポッシブル』のイーサン・ハントの活躍をイメージするだろう。一昔前までは、海外でテロや人質事件など大事件が起きるごとに「情報収集が不十分だったからNSC（国家安全保障会議）をつくるべし」などという滑稽《こっけい》な議論がまかり通っていた。こうした発想は実際にNSCが存在するいまも、じつはあまり変わっていない。

理由は簡単、そもそも近代以降の日本には本格的な対外諜報機関が存在しなかったからだ。専門家といわれる人でも、米国のCIA（中央諜報局）、DIA（国防諜報局）や英国のMI6（秘密諜報部）のようなヒューミント（人的諜報）活動を含む本格的「対外諜報機関」となると、知識としては詳しくても、具体的にいかなる組織の下でどんな活動をしているかを正確に理解している人は少ないのではないか。

もちろん、筆者も彼らの全貌《ぜんぼう》など知る由《よし》もない。しかし、諜報機関が「情報収集」部門と

「情報分析」部門に分かれながら、両者が一体化して初めて機能することぐらいは知っている。ボンドが集めた玉石混交《ぎょくせきこんこう》のインフォメーション（情報）は、各分野の専門家による高度な分析を経て、初めて確度の高いインテリジェンス（諜報）へと昇華していく。これが諜報機関の役割であり、主たる責務なのだ。

といってもわかり難いだろうから、例を挙げよう。アユ料理にたとえれば、諜報組織とは鵜飼《うかい》からアユ料理屋までの一連の作業を行なう組織と考えてほしい。まず、鵜飼では鵜匠《うしょう》が鵜を使ってアユを獲《と》る。獲れたアユは新鮮だが、生のままでは当然食べられない。そのアユはアユ料理屋に送られ、板前が捌《さば》いて調理し、初めてお客に供《きょう》される。ここまでは当たり前の話だろう。

諜報機関も同様である。鵜飼は情報収集部門、鵜匠は在外の支局長、ジェームズ・ボンドもイーサン・ハントも、映画の世界の派手な秘密破壊工作を除けば、ただの鵜に過ぎない。同じくアユ料理屋は情報分析部門で、板前が分析官、客に出す料理となった完成品がインテル（諜報）なのだ。NSCは政策企画立案のための組織だから、ここでは客に当たる。

NSCが板前の役割を果たすのはタブーだ。なぜか。それは、諜報機関は「政策」を語らない、という暗黙の了解があるからだ。当然だろう、板前は客にこの「アユが旨《うま》いかどうか」

はいえるが、アユの代わりにマグロを食べたほうが良いなどといえるはずはない。諜報機関が行なうべきことは「客＝政策決定者」に対する分析結果の提供まで。諜報の顧客である政策決定者が決めることを諜報機関が判断し始めたら、必ず道を誤るからだ。

関係省庁の寄せ集めではつくれない

以上申し上げたことは、決して目新しいことではない。いまから十五年前、当時の自民党政調会は「国家の情報機能強化に関する検討チーム」を立ち上げた。同チームは、二〇〇六年に発表した「国家の情報機能強化に関する提言」のなかで「内閣の情報集約・総合分析機能の強化」を提案している。あまりに面白いので、ここでその一部をご紹介しよう。

曰《いわ》く、当時の「内閣情報調査室は……警察出身者が多すぎるとの批判」があり、「新設の内閣情報官の下に、外務省、防衛庁、警察庁、公安調査庁、経済産業省等や民間から出向の情報評価スタッフとして情報補佐官（仮称）を置き、情報の総合評価に当たらせる」「情報補佐官にはこれら官庁のエース級」を充《あ》て、「関係省庁は情報補佐官に全ての情報を提供する」ようにする、のだそうだ。

どこが面白いのかって？　関係省庁の寄せ集めで本格的な諜報機関などつくれないから

だ。板前は一応揃っている。問題は鵜匠と鵜の役割を一体誰が果たすか、だろう。この種の工作員（オペレーター）の仕事は過酷だ。彼らは外国語を駆使し、特定の外国で（その国の）非合法活動を通じ、機微な情報を秘密裏に集めることが求められる。されば、まず彼らに必要なのは日本の国内法上の免責であるはずだ。

「素人」をリクルートする

第二に、これらの人材をどう育てるのか。語学能力や在外経験を考えても、一人前の工作員を育てるに最低十年はかかる。しかも、一〇〇人採用しても十年後に使えるのは一割だ。外交官は赴任国の法令を尊重する義務があるから、定義上「工作員」にはなれない。だが、現在の国内官庁の職員でそのまま「鵜匠」になれる人材がどれほどいるかは大いに疑問だ。諜報機関は口でいうほど簡単にはつくれない。

二〇一九年、筆者は日本が外国人工作員（スパイ）の非合法活動の天国である可能性を書いた。状況は「スパイ防止法」を制定しない限り変わらない。某国の工作員はプロのスパイである必要はない。なぜなら、某国諜報機関はつねに同国人の「素人」をリクルートし、「素人」はいつでもスパイ活動に協力するからだ。されば、日本だけが一方的にやられる事態だけは是《ぜ》が非でも変える必要がある。自民党は二〇一五年にも「インテリジェンス・秘密保全等検討プロジェクトチーム」が、ＣＩＡのような対外情報機関創設を検討したことがある。だが、もう検討は十分だ。いま必要なことは実行である。

「平和＝非軍事」という非常識

日本では「平和＝非軍事」という、国内の一部の人びとにとっては常識だが、イデオロギーを問わず、世界の安全保障の専門家にとってはじつに非常識な発想がいまも一部でまかり通っている。

筆者の知る限り、この「平和＝非軍事」が間違いであることを繰り返し唱《とな》えていたのは、二〇二〇年四月に亡くなった岡本行夫氏だ。平和が重要であることを否定する者はいない。だが、戦後の日本の平和主義は一貫して「非軍事」が前提だった。この考えを直接岡本氏から聞いて衝撃を受けたのは一九八三年、いまから四十年近く前である。岡本さんは在米大使館の参事官、筆者は在イラク大使館の二等書記官だった。

いまあらためて思い返すと、岡本さんの発想がいかに正しかったかを痛感する。日本の識者は「近代以降の平和主義の原点はプロイセンの哲学者イマヌエル・カントの『永遠平和のために』だった」という。第一次世界大戦後にはウッドロウ・ウィルソン米大統領が提唱した国際連盟の創設、第二次世界大戦後には国際連合も発足した。過去七十年間に世界で平和主義思想が大きく進展したことは間違いない。

「空想的平和主義」が堂々と

ところが日本の平和主義は、こうした世界の潮流とは一味違う「平和＝非軍事」的要素をもっていた。石橋政嗣《まさし》元社会党委員長が一九八〇年に書いた『非武装中立論』などはその好例だろう。彼は「非武装中立のほうが、武装同盟よりベターだ」と本気で考えていた。読み返すと行間から、東西冷戦の真っ只中、軍備がなくても平和が保たれた「例外的に幸運な日本」が見えてくる。石橋氏の論拠は次のとおりだ。

①海に囲まれた日本は、自らが紛争の原因をつくらない限り、他国から侵略されるおそれはない
②主として貿易により経済の発展と国民生活の安定向上を図る日本は戦争に訴えることは不可能だ
③強盗に対し抵抗は死を招く危険のほうが強い、信頼関係にまさる平和と安全はない
④侵略に対しては、降伏したほうがよい場合だってあるのではないか
⑤非武装を貫けば……民族みな殺しや、再起不能の大損害を蒙《こうむ》る最悪の事態は防げる

もうこのくらいにしよう。一九八〇年当時の社会党は一〇七議席の野党第一党、その元委員長がこうした「空想的平和主義」を堂々と世に問うていたのだから恐れ入る。要するに「戦前は軍部の横暴で国民は辛酸《しんさん》を舐《な》め、挙句の果てに原爆の犠牲になった」「すべては軍隊が悪い」「軍隊と核兵器さえなくなれば平和になる」ということだが、現実がどうだったかはあまりに明白だから、ここでは繰り返さない。

いまも続く「反戦・反核」映画の流れ

いやいや、これは当時の社会党左派の極端な思想で、一般国民は支持していなかった、との声もあろう。だが、筆者はそう思わない。ここに一九五四年封切りの怪獣映画『ゴジラ』のポスターがある。左上には「水爆大怪獣映画」とあり、口から火を吐くゴジラの右手には日の丸を付けた航空自衛隊戦闘機が握られている。自衛隊創設は一九五四年。そう、当時の『ゴジラ』は「反戦・反核」映画だったのだ。

こうした流れはいまも続いている。二〇一六年に封切られた『シン・ゴジラ』では戦後初の防衛出動が下《くだ》されたが、付近に逃げ遅れた住民が発見されたことを重視した総理大臣の決断で自衛隊へリコプターの攻撃は中止された。もちろん、海外の民主主義国家でも非戦闘員を巻き込む戦闘行為はご法度《はっと》だが、この映画が描いた内閣総理大臣は明らかに「平和＝非軍事」的発想を引きずっていたようだ。

いま一度、石橋元委員長の論理に戻ろう。①海に囲まれた日本は他国から侵略されない（それでは尖閣周辺に出没する某国公船は何なのか）。②貿易立国日本は戦争に訴えることは不可能（だが、それを熟知する相手は挑発を止めない）。③抵抗は死を招く危険のほうが強い（だが、無抵抗なら相手は何でもできるではないか）。④侵略には降伏したほうがよい（これは敗北主義以外の何物でもないだろう）。

今回こそ外圧なしに正しい判断を

以上のとおり、いまも日本では「軍事力で平和を確保する」ことの重要性が理解されていないようだ。では、一体どうすればよいのか。先日、新型コロナのパンデミック問題でシンガポールの放送局からインタビューを受けた。「なぜ日本は強制力を伴う非常事態宣言を発布できないのか」という質問に対し、筆者は「第二次大戦で軍部に振り回された記憶はいまも鮮明で、強制措置には生理的嫌悪が根強い」と述べた。

じつは、そのときあえて言わなかったのが次の答えだ。「日本人は自ら変われない。誤解をおそれずに言うが、国家安全保障のような重要問題で自己改革をするには外圧が必要である」と。明治維新前の黒船然《しか》り、一九四五年の敗戦然り。されば、日本人が「軍備により守られた平和」という世界の常識に戻るには、新たな「外圧」すなわち新たな「対日侵略」が必要ということなのだろうか。それだけはご免蒙りたい。今回こそ外圧なしに正しい判断を下すことが戦後日本最大の宿題である。

日本の議員は「立法しない」

筆者の外務省での役人生活は二十七年に及んだが、その歳月のなかで最も「無駄だったな」と思う時間が国会対策だった。

【なぜ形式的なのか】

結論から言えば、国会は国権の最高機関であるにもかかわらず、日本の国会議員は真の意味での「立法者（ローメーカー）」ではない。政府と官僚組織が作成する「法案の承認者」に成り下がっているのだ。いくら議院内閣制とはいえ、日本では重要法案や条約協定の草案策定作業を官僚組織がほぼ独占している。「議員立法」という特殊用語が示すとおり、通常、議員は「立法しない」のが日本の実態だ。

実質的議論や水面下の政治的取引は、具体的な法案ができる遥か前に、関係省庁と政権与党内の政務調査部門で行なわれてしまう。しかも一度提出されたら、滅多《めった》なことで法案は修正されない。となれば、国会の各委員会での実質的議論などそもそも期待できるわけがない。そのことは、筆者が現役時代の霞が関で法案の提案理由説明を「お経読み」などと蔑《さげす》んでいたことが如実に示している。

スタッフが事実上ゼロ

日本の国会議員がローメーカー集団になれない最大の理由は、個々の国会議員がもつ政策スタッフが事実上ゼロに近いからだ。仮に、優秀な政策秘書が頑張ってみても、一人では豊富な専門知識をもつ巨大な官僚集団にとうてい太刀打《たちう》ちできない。その点では、個々の法案づくりの主導権を握る数十人の政策スタッフをもつことが当たり前のアメリカ連邦議会議員とは雲泥《うんでい》の差なのである。

【なぜ形而上学的なのか】

この点は筆者が主として関与した安全保障論議についてとくに顕著だ。前にご説明した「空想的平和主義」だけでは具体的政策にはならない。一方、日米安保体制の実際の運用は、詳細を説明すれば理解してもらえるだろうと思う内容でも、完全な情報公開は難しい。となれば、全国に生中継される可能性のある予算委員会などの場では、どうしても議論が噛《か》み合わないのである。

とくに、東西冷戦中、社会党、共産党など野党の議論にはイデオロギー色が強かった。当然ながら、議論は「顕教《けんきょう》」対「密教《みっきょう》」の戦いになる。そもそも相手は「日米安保反対、自衛隊違憲」という顕教の権化《ごんげ》だから、こちらの理論武装も「事柄の性格上、詳細は申し上げられない」式の密教説法に近づいていく。されば、一般国民にわかり易い議論など二の次になってしまうのだ。

【なぜ無味乾燥なのか】

重要法案、条約協定ほどその傾向が著しい。前述のとおり、委員会では実質的議論ができないので、法案の重要度、議員の真剣度は、驚くなかれ、「審議時間の長さ」で測られることになる。となれば、国会での勝負は「いかに粛々《しゅくしゅく》と長時間審議が尽くされたか」に収斂《しゅうれん》せざるをえない。逆に、野党から見れば、何とか「審議を粛々と尽くさせない」ことにすべての精力を集中する羽目になるのだ。

昔は「止《と》め男」と呼ばれる名物議員がいた。彼らの仕事は、政府与党を挑発し、政府側から失言、迷言、暴言を引き出して国会審議を止めることだった。そのためなら質問内容を事前に提示しない、もしくは直前に提示することも平気で行なわれた。通常国会の冒頭月曜日の野党第一党代表質問の内容を日曜日の夜十時に入手、なんて話は日常茶飯事《さはんじ》。当然、答弁作成作業は徹夜、これが毎年何カ月も続くのだ。

【国会答弁案をいかにつくるか】

たかが答弁、されど答弁。いかに無味乾燥とはいえ、国会質疑が一度始まれば、それは真剣勝負だ。専門家ではない「普通の大臣」を予算委員会で支えるには、あらゆる角度からありうるべき質問、再質問を徹底的に予想し、さらに、二の矢、三の矢まで用意しなければならない。答弁案集は膨大《ぼうだい》になるが、それを絶妙のタイミングで大臣なり局長に手渡すことが重要となる。筆者はあまり得意ではなかったが。

しかも、前述のとおり、国会でまともな議論はできない。下手に詳しく述べれば、逆に揚《あ》げ足を取られかねないからだ。となれば、国会答弁案策定の要諦は自ずから、すれ違いの議論、トートロジー（同義語反復）、「いずれにせよ」で逃げる、の三点セットとなる。少なくとも、筆者はそのような教育を受けた。これではまともな国会質疑などできるわけがない、と当時から思っていた。

【カギは政策スタッフの強化と秘密会】

恨《うら》み節《ぶし》を書いているうちに誌面が尽きてしまった。賢明な読者諸氏ならもうおわかりだろう。二十一世紀の今日《こんにち》、国際情勢がかくも急変しつつあるなか、こんな旧態依然の国会質疑はそろそろ止《や》めにしたらどうか。日本の国会質疑を活性化させるのはじつは難しくない。予算案を含め政府の法案提出権を制限し、議員の立法スタッフを大幅に増強し、国会議員とスタッフに厳しい守秘義務を課し、秘密会を最大限活用し、重要な政策関連情報の共有を進める。国会議員がこうした内容の法律をつくればよいだけの話だ。これすらできないようなら、もはや日本の国会は「立法府」「国権の最高機関」の名には値しないだろう。

国民より上司の命令が優先？

「私は、国民全体の奉仕者として公共の利益のために勤務すべき責務を深く自覚し、日本国憲法を遵守し、並びに法令及び上司の職務上の命令に従い、不偏不党かつ公正に職務の遂行に当たることをかたく誓います」。これは国家公務員法の「職員の服務の宣誓に関する政令」が定める宣誓書だ。国家公務員なら誰でも一度は署名しているはずだが、あらためてよく読むと、これほど矛盾に満ちた文章はない。

国家公務員は、一方で「国民全体の奉仕者」かつ「不偏不党」でありながら、同時に「法令と上司の職務上の命令に従う」とされている。結局は、最初に入省・入庁した中央官庁とその上司の命令が「優先する」のだろうか。そう読まないと、あの魑魅《ちみ》魍魎《もうりょう》とした霞が関は理解できない。というわけで、戦後日本の宿題シリーズの第五弾は、遅々《ちち》として進まない「霞が関改革」を取り上げる。

【霞が関は変わったか】

筆者のような大雑把な人間がよく二十七年間も霞が関で働けたな、と最近つくづく思う。同時に、外から見ると、その実態は大きく様変わりし、昔のような働き方ができなくなったようにも感じる。外務省退職後十五年間で、霞が関では一体何が変わり、何が変わらなかったのか。こうした視点を切り口に、公務員改革に向けた「政と官」の主導権争いについて考えてみたい。

端的に言おう。霞が関でいまも変わらないのは「セクショナリズム」の弊害だ。「縄張り争い」「省庁あって国なし」「局あって省庁なし」ともいう。霞が関批判の大半はこうした悪弊の改善を求めている。これに対し、大きく変わり、恐らく失われたものは各省庁の「独立性」だろう。良い意味での高級官僚の先見性、主導性とそれを支える専門家としての矜持《きょうじ》、と言い換えても過言ではない。

【セクショナリズム】

セクショナリズムの弊害の最たるものが新型コロナウイルス対策のドタバタではないか。かつての同僚の悪口はあまり言いたくないが、厚生労働省の動きを見ていると、「あれあれ、彼らはまだ昔のゲームをやっているのか」とため息をつきたくなる。「国民全体の奉仕者」としてパンデミックにオールジャパンで対処すべきなのに、彼らは同省関係部門の既得権を死守しているとしか見えない。

そのためなら政治家への面従腹背《めんじゅうふくはい》などお手の物。「検討します」と言って「何もやらない」のは序の口で、「やります」と言ったことすら平気で「やらない」のだから恐れ入る。彼らは「健康管理」の専門家かもしれないが、厚生官僚に国家の「危機管理」は無理だ。だから、新しい組織も他省庁の介入も、基本的にはすべて「お断り」。これが霞が関の掟《おきて》である。少なくとも、十五年前まではそうだった。

【霞が関のオリンピック】

厚生労働省はあくまで氷山の一角にすぎない。各中央官庁の国家公務員が最も重視するのは「予算」「人事」「権限」という〝三種の神器〟の獲得だ。これらを拡大する省庁が強く、これらを失えば当該省庁は「霞が関オリンピック」で埋没する。本物のオリパラは四年に一回だが、霞が関ではこの種の競技が、毎年の通常国会に向けた予算づくりや臨時国会での補正予算なども含め、年に数回行なわれる。

なぜ「予算」「人事」「権限」が大事なのか。官僚組織の自己増殖活動と切り捨てるのは簡単だが、その本質は優秀な人材の確保だ。霞が関オリンピックに勝つためには人材が要《い》る。だが、公務員の安月給では人材は集まらない。されば退官後の生活を保障する必要がある。

そのために天下りを前提とした人材確保のサプライチェーンをつくる。だから当該省庁の「予算」「人事」「権限」拡大は不可欠なのだ。

【崩壊した官僚自治集団の連合王国】

つい最近まで、霞が関はこのような省庁が緩《ゆる》やかな連合を組んだ「連合王国」だった。各省庁が「設置法」などに基づき権限を分かち合う。それぞれの自治的権限の範囲内で人材確保のサプライチェーンを機能させるため、「予算」「人事」「権限」をめぐり死闘が繰り広げられる。その戦いに勝ち残った者は出世していくが、仮に出世しなくても、組織に忠誠を誓う限り、退職後の生活は保証された。

吹き荒れる「政高官低」の嵐

そんなバラ色の時代が内閣人事局発足により終焉《しゅうえん》を迎えている。各省庁の次官が局長と後任次官の人事権を失い、各省庁にかろうじて認められていた自治権は崩壊し始めた。天下りは法律上禁止され、人材確保のサプライチェーンは回らなくなった。当然、優秀な人材は集まらない。「政高官低」の嵐が吹き荒れ、昔のような凜《りん》とした矜持をもつ国家公務員はいまや絶滅危惧種となりつつある。

【内閣人事局の運用を見直せ】

でも待ってほしい。これが本当の霞が関改革なのだろうか。筆者には疑問だ。中央官庁のセクショナリズムを排し、国民全体のため、選挙で選ばれた政治家が行政を動かすという理想は正しかった。だが、現実に起きているのは霞が関官僚の疲弊と劣化であり、真の霞が関改革には程遠い。中央官僚組織の短所を直しつつ長所を伸ばすにはどうすべきか。劣化する官僚に代わり、優秀な民間の政治任用者をいかにリクルートすべきか、等々。公務員制度改革という宿題はまだまだ続きそうである。

裁判所の「統治行為論」に対する疑問

これまで国家非常事態法制の整備、対外諜報機関の設立、空想的平和主義の克服、国会審議の刷新、霞が関官僚制度の改革という、戦後日本に長く残された宿題について書いてきた。本項では、三権分立制度の下でその独立が憲法上保障されている司法権を取り上げたい。これでも学生時代は法曹をめざしたこともある筆者、いまの最高裁判所にはいくつか素朴な疑問がある。

【砂川判決と統治行為論】

戦後の最高裁の活動のなかで最も有名な判決の一つが一九五九年十二月の「砂川事件」判決だろう。立川（旧砂川町）にあった在日米軍基地への立ち入りをめぐる日米行政協定違反が争われた事件。一九六〇年以降吹き荒れた反安保闘争・学生運動の原点となったきわめて政治的な案件だった。法学部の学生なら憲法概論の授業で必ず熟読させられるだろう。同判決の結論は次のとおりだ。

「憲法第九条は日本が主権国として持つ固有の自衛権を否定しておらず、同条が禁止する戦力とは日本国が指揮・管理できる戦力のことであるから、外国の軍隊は戦力にあたらない。

したがって、アメリカ軍の駐留は憲法及び前文の趣旨に反しない」。なるほど、ここまでなら筆者にも何とか理解できる。

問題は次の一文だ。「他方で、日米安全保障条約のように高度な政治性をもつ条約については、一見してきわめて明白に違憲無効と認められない限り、その内容について違憲かどうかの法的判断を下すことはできない」。これが「統治行為論」、つまり「国家統治の基本に関する高度な政治性を有する国家の行為は司法審査の対象としない」という法理論だが、学生時代は「そんなもんか」としか思わなかった。

【「ガバメント」は「政府」ではない】

筆者が考えを大きく変えたのは米国留学時代だ。アメリカ政治学の授業で最初に学ぶのは「ガバメント」の概念。「アメリカにはガバメントがいくつあるか」との問いに「一つ」と答えると、「ノー、アメリカにはガバメントが何千もある」と来る。「連邦、州、市町村から大学に至るまでそれぞれガバメントがある」と宣《のたま》うのだ。「わかった、ならば連邦政府は一つだよね」と反論すると、それも否定された。

フェデラルガバメントは、司法、行政、立法各府の三つからなる。つまり、司法権も連邦の「ガバメント」の一部であり、時に独立し、時に行政府・立法府と抑制・均衡を図りながら、ガバナンス（統治）という政治過程に責任を有しているのだ。当然ながら、米国の最高裁判事の任命はきわめて政治的に機微な統治行為であり、最高裁判事が亡くなるたびに後任の任命でワシントン政治は揺れに揺れる。

もちろん、米国にも統治行為論に似た概念はある。political question、justiciability（司法判断適合性）などと呼ばれる。もし案件が法的ではなく純粋に政治的な問題であれば、それは裁判所の審査の対象にはならないというものだ。ただし、専門家によれば、日本の統治行為論は、米国よりもフランスの acte de gouvernement に概念的には近いそうである。

正直なところ、米仏の司法の微妙な違いについて筆者は門外漢。それでも日本の裁判所の統治行為論には疑問がある。第一に、砂川事件は「政治問題」ではない。問題の本質は日米安保条約の合憲性という法律解釈の問題だからだ。第二に、裁判所も「ガバメント」の一翼である。「ガバメント」であれば、統治の過程で法的な立場から一種の「政治判断」を下すのも至極当然ではないか。

【韓国大法院は反面教師】

こんな議論をすると、いわゆる「徴用」をめぐる問題で「驚くべき判決」を下した韓国の大法院の判断も正しいということか、とお叱りを受けるかもしれない。もちろん、あの判決は、韓国の内政上の議論はともかく、国際法上は大きな誤りだ。現在の韓国の問題は、大法院の「行き過ぎた政治化」だけでなく、韓国の「ガバメント」の一翼である行政府がかかる司法府の判断ミスをチェックしないことだろう。

司法権の「孤立」ではないか

話を日本の司法制度に戻そう。日本で裁判所は「政府」ではない。この国の「政府」とは行政府、すなわち内閣のことであり、往々にして「国」とも呼ばれる。政治判断をするのは行政府たる「政府」と立法府の「国会」だけであり、司法府は政治にはタッチしないのが慣行らしい。でも、これって日本国憲法が想定していた三権分立の下での権力の抑制・均衡だろうか。それはちょっと違うだろう。

本稿の目的は最高裁を批判することではない。司法府の「宿題」の深刻度は国会審議や官僚制度に比べればはるかに低い。それでも、日本の「法の支配」を一層強化・発展させるためには司法制度も進化が必要だ。具体的には、日米安保条約と日本国憲法との関係を、統治行為などという安易な逃げを打つことなく、真正面から判断すべきだと考える。いまのままでは独立どころか、司法権の「孤立」ではないか。

合憲であれば、堂々とそう判断すればよい。もし、違憲だと考えるなら、やはり、そう判断すべきだろう。日米安保条約が違憲なら、国民は安保条約を破棄するか、憲法を改正するかの選択を迫られる。それは基本的に行政府と立法府の仕事だ。国論が割れていた六十一年前なら混乱回避のための「統治行為論」も正当化されただろうが、いまの日本の民主主義は当時よりもはるかに成熟していると思うのだが……。

真のジャーナリズムが生息しにくい

「今度、シャロン会議があるので、話をしてくれないか」。二十年ほど前、ある新聞社の記者からこんな依頼が舞い込んだ。当時イスラエルにはアリエル・シャロン首相（当時は外相）という強硬派政治家がいたので、外務省中東第一課長だった筆者は危《あや》うく大恥をかくところだった。てっきり中東和平問題の話をするつもりで出かけて行ったら、何と「シャロン」会議ではなく、「社論」会議だったからだ。

ダジャレを言うのが目的ではない。第四の権力とも言われる報道機関のあるべき姿を取り上げる。「お前の話は天に唾《つば》する話だ」との批判覚悟で言えば、日本では真のジャーナリズムが生息しにくいと思うからだ。

【「報道」は「ジャーナリズム」ではない】

日本には多くの「報道機関」があり、当然そこには多くの「記者」がいる。ところが日本語の「報道」は英語の「ジャーナリズム」では必ずしもない。同様に、日本語の「記者」も英語の「ジャーナリスト」とは似て非なるものだ。「日本の記者はジャーナリストではなく、報道機関という会社の社員にすぎない」と、米有力日刊紙の東京支局長を務めた友人の米国人ジャーナリストが言った。

彼によれば、「俺たちはジャーナリストであって、『ワシントン・ポスト』や『ウォール・ストリート・ジャーナル』の社員ではない。報道機関は働く場所にすぎない。会社のために記事を書くのではなく、社論に従って報道することもない。米紙の社説が日本を批判すると日本人は俺たちに文句を言うが、俺は一人の独立したジャーナリスト、本社論説部の連中が書く社説とは関係がない」のだそうだ。

【ジャーナリズムの目的は権力監視ではない】

欧米ジャーナリズムとの違いはこれだけではない。以前あるテレビ局の日本人キャスターは、「ジャーナリズムの最大の役割は権力を監視する番犬『ウォッチドッグ』であることだ」と述べていた。他方、別の著名日本人ジャーナリストは、「報道機関の任務はこの世で起きている重要事実を漏《も》れなく伝えるとともに、ニュースの意味付けを与え、その価値付けを与える」ことだと論ずる。

どちらにも一理はあるが、筆者の見立てでは後者に近い。実際、筆者の知る外国人ジャーナリストの多くは「事実を客観的に伝える」説を支持していた。ジャーナリズムの任務は、相手が権力であれ、非権力であれ、自らが事実と信ずる内容を独立して人びとに伝えることが第一であり、「権力の監視」はその結果にすぎない。これが調査報道（インベスティガティブ・ジャーナリズム）の真髄《しんずい》である。

【ジャーナリズムの王道は調査報道である】

一昔前、租税回避地パナマの大手法律事務所から膨大《ぼうだい》な顧客情報が漏洩《ろうえい》する事件が起きた。これらの資料を入手し、八〇カ国の一〇〇以上の報道機関のジャーナリスト四百余名とともに一年間分析したのが、米国に本部を置くＩＣＩＪ（国際調査報道ジャーナリスト連合）だった。同資料には中国国家主席の姉の夫など中国要人の親族の名も含まれていたが、当然中国国内では関連報道など皆無だった。

三年前にも『ニューヨーク・タイムズ』が綿密《めんみつ》な調査報道を行ない、中国当局の要請を受けた米アップル社が、中国向けアプリ配信サイトから同紙のニュースアプリを削除した事実を暴露した。これに対し、中国の『環球時報』は社説で『ニューヨーク・タイムズ』が「中国の国内問題に影響力を行使しようと画策してきた」と批判した。こうした報道が続く限り、中国で真のジャーナリズムを育てるのは至難の業《わざ》だろう。

【日本に真のジャーナリズムを】

翻《ひるがえ》って、日本の状況はどうか。日本にも報道を専門とする優秀な記者は数多くおり、一人ひとりの能力や知的レベルも欧米ジャーナリストと同程度、またはそれ以上だ。彼らがジャーナリストとして本来あるべき仕事をすれば日本の報道は確実に変わる。だが、実際にはそうならない。彼らが所属する会社や取材対象の官庁・政治家等と記者個人との組織的関係がまったくジャーナリスト的ではないからだ。

記者クラブ制度による横並び取材、特ダネ（スクープ）よりも特オチ（大ニュースを自社だけ報じない状態）回避の重視、番記者制度による取材対象との事実上の一体化などはその典型例だろう。欧米には特ダネはあっても、特オチという概念はない。王道はあくまで調査報道であり、事実に基づいた、独自の視点をもつ、オリジナリティのある記事以外はあまり評価されないのである。

もちろん、欧米でも報道機関により思想信条の違いはある。リベラルな『ニューヨーク・タイムズ』、保守的な『ウォール・ストリート・ジャーナル』といった具合だが、それはジャーナリズムの問題ではない。世界には調査報道を基本に事実を伝えるジャーナリズム、事実より反権力を優先する報道機関、さらには独裁体制下で大本営発表しか報道できない人びとがいる。真のジャーナリズムをもてない国の市民は不幸である。

世界で頻繁に行なわれる憲法改正

七項目にわたり、戦後日本の宿題について書いてきた。最後はご推察のとおり、憲法改正問題である。そうはいっても、筆者の関心は特定の憲法条文の具体的改正内容ではない。一九五五年の保守合同以来、これほど多くの学者や政治家が議論し、提案し、必要議席まで確保しながら、七十五年間日本では一度も憲法改正が行なわれなかった。筆者が論じたいのは、まさにその理由なのだ。

憲法改正は世界各国で頻繁に行なわれている。国立国会図書館の調査によれば、第二次大戦終了後から二〇一六年十二月までの七十余年間で、米国は六回、カナダが一九回、フランスは二七回、ドイツが六〇回、イタリアは一五回、豪州が五回、中国と韓国は九回、それぞれ憲法改正を行なっている。主要国のなかで同期間に一度も改正されなかったのは恐らく日本の「平和」憲法だけだろう。これって、ちょっと異常ではないだろうか。

なぜ主要国は憲法改正を繰り返すのか。理由は簡単。内外諸情勢の変化に伴い、国民の価値判断は変化する。変化に即して法制度を変えなければ、国民は法を遵守《じゅんしゅ》せず、法律に基づく社会は維持できなくなる。これが民主的「法治国家」の基本的発想である。されば、七十五年間も憲法改正を躊躇《ちゅうちょ》し続けた日本人には、欧米はもちろん、中韓とも異なる、別の

「発想」があるとしか筆者には思えないのだ。

【「法治主義」と「法の支配」は異なる概念】

一般に「法治主義」とは、統治者個人の善性や徳治主義など「人治」を排除し、あくまで法律の強制力により国民を統治しようとする政治思想だ。この法治主義に基づき、すべての判断・決定を、国家が定めた法律に基づいて行なうのが狭義《きょうぎ》の「法治国家」である。その意味では、中華人民共和国も一種の「法治国家」かもしれない。すべては中国共産党の指導の下でつくられる法律に基づく統治なのだから。

他方、中国には「法の支配」など存在しない。「法の支配」とは、被統治者だけでなく、統治する側であっても、人智を超える高次の法規範により拘束されると考える制度だからだ。この点については、十三世紀イングランドのローマ法学者ヘンリー・ブラクトンの「国王といえども神と法の下にある。なぜなら、法が王をつくるからである」と述べた法諺《ほうげん》があまりにも有名だろう。

先に述べた「人智を超える高次の法規範」とは英米法的な「自然法」を指す。その意味で「法の支配」は、欧州大陸法的な「法治国家」の概念と厳格に区別されるべきだろう。ちなみに、最近中国では特定の統治者に政治権力が過度に集中しており、「法治国家」どころか、「人治国家」に成り下がっていると言えそうだ。

【「神との契約」の有無】

話が難解になってしまった。日本人の法に関する発想を説明するためなので、いましばらくお付き合い願いたい。さて、以上のとおり、世の中に大きく分けて、英米法的な「自然法」に基づく「法の支配」的発想と、中国的な「人治主義」「法治主義」的発想があるとしよう。そもそも、こうした違いが生まれた理由は何だろうか。最大の理由は「一神教的世界観」の有無だと筆者は考える。どういう意味か。

一神教の世界では「全知全能の絶対神」と「不完全な被造物である人間」が契約を交わす。つまり、その契約内容は人間にとって人智を超えた絶対的な「神の法」である。これに対し、中国のような「神との契約が存在しない」世界では、「法が王をつくる」のではなく、「王が法をつくる」のだ。されば、すべての法は、人間と人間の政治的力関係に依存する相対的可変的「ルール」にすぎなくなる。

【日本に真の「法の支配」はあるか】

そろそろ結論を急ごう。日本における法の発想は、欧米とも中国とも異なるようだ。欧米の如《ごと》き「一神教的世界観」はないが、中国の如く「何でもあり」でもない。成文法規範がなくても、多数の国民はその時々に必要なルールを、誰に強制されるでもなく、粛々《しゆくしゆく》と遵守する。もちろん、例外はあろう。しかし、東日本大震災や新型コロナ禍《か》における日本人の団体行動はこうした仮説を証明するように思える。

建前法と本音解釈の不思議な世界

日本には「法の支配」でも「人治主義」でもない、不思議な世界がある。強《し》いて言えば、「建前法と本音解釈」の世界とでも呼ぶべき、絶妙なバランスが保たれる場所。そこでは「建前」を「現実」に合わせる必要はない。両者は違って良い、それどころか、違って当たり前。建前の公式世界が変わらなくとも、本音の現実世界での変化に応じ、人びとは黙々と全体の利益を最大化できるからだ。逆に言えば、こんな芸当が苦もなくできるのなら、「清く正しく美しい」憲法をあえて改正する必要はない。憲法の条文はそのままでも、多くの人びとは「いま守るべきルール」が変わることを知っているからだ。これが「法治国家」「法の支配」だろうか。もちろん答えは否だが、多くの日本人にとってはこれで十分バランスがとれている。

これこそ、筆者が憲法改正は悲観的と言わざるをえない理由なのである。

第二章

覚醒した世界のダークサイド

中東七カ国「地獄の遠征」

この原稿はアブダビ空港で書き始めた。これから一週間、日本外務省の依頼で中東四カ国を回り講演やインタビューを行なう。最近、海外講演は米国ばかりだったなと反省し、安易に引き受けたのが間違いだった。でも、七日間で四カ国、経由地を含めれば七カ国という「地獄の遠征」を望んだのは筆者だから自業自得。テーマは中東の不安定の連鎖だ。

アラブ首長国連邦の首都アブダビ到着は現地時間午前一時、四時間後にアラビア半島南東の角にあるオマーンに向かう。アブダビは何と十二年ぶりだが、日本からの直行便機内ではCNNの生放送を見つつインターネット三昧《ざんまい》、空港も二十四時間オープンだから仕事が捗《はかど》る。少なくとも英語を喋る者にとって湾岸地域は来るたびに便利になっていると実感する。

時間がきたので出発ゲートへ向かったが、搭乗順序は、ビジネスだろうがエコノミーだろうが、早い者勝ち、やっと中東に帰ってきた実感が湧いてきた。乗客はアラブ系よりインド・パキスタン系が多い。早速インパキ訛《なま》りとアラブ訛りの英語で座席をめぐる喧嘩が始まり、アラブの子供たちは所構わず泣き叫ぶ。そう、やはり中東はこうでないと、ね。

「アラブの春」（チュニジア、写真提供：AA／時事通信フォト）

薄れる「アラブの春」の熱気

　そうしている内にオマーンに着いた。ここは十数年ぶりだが筆者の大好きな場所、湾岸地域の良心を代表する国だ。石油やガスはあまり出ないが、この古くからの海洋国家は相変わらず開放的で堅実だ。イランは目と鼻の先。米国との対立が深まれば封鎖も懸念されるホルムズ海峡に近いアラブ首長国連邦とオマーンは、日本にとっても戦略的要衝《ようしょう》だ。

　日本では一部に海峡封鎖を本気で心配する向きもあるが、イランにとってそれは自殺行為に近い。イランはバーレーン駐留の米第五艦隊がイラン向けタンカーの航行のみを止めることを熟知しているからだ。海峡封鎖はあくまで最後の手段であり、よほど対米関係が険悪化しない限り、イランが封鎖に踏み切る可能性は考えにくい。

このオマーンにも滞在は十八時間ほど。これから深夜便にてイスタンブール経由でチュニジアに向かう。イスタンブールといえば、かのサウジ人ジャーナリストが総領事館で殺害された場所だ。事件は未解決だが、トランプ政権、とくにトランプ娘婿のクシュナー氏とサウジ皇太子は反イランで一致しているから、サウジは「トカゲの尻尾切り」で幕引きを図るはずだ。

イランは米国による厳しい経済制裁にもめげず中東地域、とくにイラク、シリア、レバノン、イエメンなどで政治的、軍事的影響力を拡大している。一方、EU加盟の可能性がなくなったトルコも中東や中央アジア地域で発言力を高めようと躍起《やっき》になっている。今後両国は従来以上に政治的、軍事的自己主張を強めていくのではないか。

チュニジアといえば、あの「アラブの春」が始まった国だが、いまやその熱気は薄れつつある。他の中東地域でも九年前の「民主化運動」が再発する可能性は低いだろう。イラクは相変わらず不安定だし、シリアは内戦でほとんど破壊されてしまった。エジプトは永遠だし、優等生のチュニジアですら試行錯誤が続いている。これが実態ではないだろうか。

チュニスの次はエジプト、懐かしい首都カイロは筆者がアラビア語を研修した場所だ。同地には一九七九年から二年間、イラン革命直後からサダト大統領暗殺の直前まで住んだが、あれから四十年、二回の政変を経てエジプトは元の軍政に戻ってしまった。エジプトがこんな状態であれば、パレスチナ問題が解決するはずはない。

トランプ政権の下で米国はエルサレムに大使館を移転した。これではさすがのアラブ諸国も中東和平交渉の「善意の仲介者」としての米国を見限ったはずだ。パレスチナ側もファタハ、ハマスの分裂が長期化しており、出口は見えない。クシュナー氏がサウジ皇太子と組んで和平を進めるというトランプ政権の戦略は早晩《そうばん》行き詰まるだろう。

民衆による政治エリートへの逆襲

最近つくづく思うのは、こうした中東地域の不安定の連鎖と欧米で吹き荒れるナショナリズム、ポピュリズムの嵐との関連性だ。欧米と中東は一見、無関係に思える。しかし、実際には両者とも、既存の政治エリートの統治に疎外感を覚える「負け組」庶民の逆襲という点では、似た者同士ではないのか。最後に、筆者がそう考える理由を書こう。

近代以降、中東では民主政治はもちろん、一般国民の声を十分政治に反映させる制度が発達しなかった。政治権力は、王族にせよ、軍部にせよ、一握りのエリートに独占されてきた。されば、こうした権力者がつくり上げた利権システムから外れた一般庶民がエリート層に抱く政治的反感や不満は、欧米社会以上に強かったのではなかろうか。

欧米のように政治の世俗化が進まなかった中東地域では、良きにつけ悪《あ》しきにつけ、宗教が一種の政治的イデオロギーの役割を果たした。とくに、聖俗の区別のないイスラームは、疎外された中流以下の民衆の不満を結集させる政治的「受け皿」の役割を果たしてきた。その典型例がイラン革命、エジプトのムスリム同胞団、イスラーム国なのかもしれない。

そうだとすれば、いま中東地域で起きつつあることの本質は、欧米のトランプ運動や極右政党の台頭と同様、永年不満を抱いてきた下層民衆による政治エリートへの逆襲だ。欧米との違いは、こうした民衆の不満を纏《まと》める手法が民主主義でなく、政治的イデオロギーとしての宗教であっただけのこと。残念ながら、中東の不安定の連鎖は今後も続くだろう。

「接待鮨」から「年金鮨」へ

安全保障をめぐる議論が続いたので、閑話休題、江戸前鮨《えどまえずし》の話を書こう。東京築地の旧場外市場に筆者が「シビれる」鮨を出す隠れ家的名店がある。詳しく書くと予約が取り難くなる恐れもあるので、あえて住所と屋号は伏す。筆者にとっては、外国の親しい友人をもてなすときは必ず使う、取っておきの鮨屋だ。

先日久し振りにそこで家族と夕食を楽しんだ。カウンターだけの目立たない小さな店。値段は安くないが、明朗会計で味も天下一品だ。しかし、その日は鮨のフルコースだけでなく、店の「親方」との会話も鮨以上にじつに味わい深かった。彼は恐らく筆者よりちょっと年上だろうか。自然とカウンター越しの会話はわれわれの「年齢」の話になった。

親方は築地で鮨を握って五十余年、知る人ぞ知る天才肌の鮨職人だ。その彼が、「もう七十なんて言っては駄目、まだ七十だという気持ちで握っている」「せっかく生きてきたんだから、もう駄目だなんて言ってはいけない」と宣《のたま》う。なるほど、たしかにあと五年で七十歳になる筆者にとっても決して他人事《ひとごと》ではない。

筆者の独り言、「僕は今年で六十五になったけど、いまやっているプロジェクトでは第一線を退くつもりなんだ」。「なぜ？　もっと続ければ良いのに」。「いやいや、親方、もし僕が一人で最後までやったら、そのプロジェクトは僕の代で終わっちゃう。いまの内に若い世代に引き継いでこそ、そのプロジェクトは生き永らえるんです」。それでも親方は半信半疑だ。「それにね、親方、普通の会社員は六十歳過ぎたら一度退職し、嘱託《しょくたく》社員になるんだよ。給料も激減するけど、貰えるだけまだ良いの。六十五歳になったら、あとは年金生活しかないんだからね」。しかし、この齢《よわい》七十を超えても若々しい親方は動じない。「会社員には定年があるらしいけど、鮨職人にそんなものはないからね」。たしかにそうだが、話はまだまだ続く。「でもさ、親方、七十過ぎて鮨を握っても、御贔屓《ひいき》のお客さんだって歳を取るんだよ。彼らは現役時代なら営業接待でこの店を使えるけど、年金生活になったら簡単には来れなくなるんだよ」。筆者が冗談でこう脅《おど》かすと親方は言った。「そうね、そうなったら俺は『年金鮨』を握って出そうかな」。おっと、そう出たかい。

筆者も負けていない。「そうだね、接待鮨じゃなくて年金鮨だね。でもそうなったら、値段はあまり高くできないよ。何しろ彼らは限られた年金のなかから親方の鮨を食べに来るのだからね」。「なるほど、そうなると二五〇〇円ぐらいかな」。「いやいや、親方、それは高すぎるよ。一四八〇円ぐらいが限度じゃないの?……」と筆者。

「一四八〇円か、そんなところだろうね」と親方。すかさず女房が「一四八〇円でいまの味のレベルを維持できるんですか」と口を挟む。なるほど、それも大きな問題だ。

小規模限定的かつ試験的な試行錯誤しかない

その後も会話は延々と続くのだが、話している最中から日本の行く末が気になり始めた。人口は減り続けるが、いまの生活は維持したい。そんな甘い話が日本に本当にあるのだろうか。

ある訳がないだろう。生産年齢人口減少と労働力不足で日本経済が成長するはずはない。このギャップを埋める方法は日本人女性と外国人労働者の労働市場参入拡大、これしかないだろう。二〇一七年末の段階で日本には約一三〇万人の外国人労働者がいるそうだが、これで不足分が埋まるとは誰も思っていないはずだ。親方の鮨を堪能した翌朝、生出演したテレビ朝日系の『グッド！モーニング』というニュース情報番組でも、外国人労働者受け入れ拡大に向けた入管法改正案についてコメントを求められた。受け入れ人数や業種、雇用環境について詳細が詰まっていないという野党側の批判は理解できるが、前夜の親方との会話を思い出し、複雑な気持ちになった。

筆者の論点はこうだ。

第一は、何と呼ぼうと、外国人労働者受け入れ問題の本質は広義の「移民問題」にほかならないことだ。生産年齢人口減少と外国人労働者受け入れは、これまで英仏独など欧州の主要国が直面してきた大問題。残念ながら、欧州各国とも完璧な解決策はなく、程度の差こそあれ、国内の外国人労働者や移民問題に手を焼いているのが実情だろう。

たとえば、英仏では旧植民地民に国籍を与える。ただし、英国は移民の文化・宗教を尊重しても、現地社会との真の融合を認める意欲は乏《とぼ》しい。逆にフランスは移民に仏語と世俗主義といったフランス文化の受容を求め、適合しない宗教・文化は受け入れない。ドイツはその中間といったところだが、一般に外国人労働者は客人として扱われているようだ。

されば第二に日本は、こうした欧州各国の移民政策の失敗から教訓を学ぶ必要があることだ。ところが現在の日本では「移民問題」を真正面から取り上げることに反対論が強すぎる。その議論をやろうとすれば、そもそも「移民」不要論など入口の議論で堂々巡りが始まり、恐らく永久に結論は出ないだろう。

具体的政策の導入が遅れるぐらいなら、とりあえず小規模、限定的かつ試験的に新たな制度を導入して試行錯誤するしかないだろう。将来、江戸前の天才的鮨職人が東南アジア出身者になっても良いではないか。彼らが日本の伝統の味を受け継げるなら、彼らはすでに日本人であり、決して外国人ではないのだから。読者の皆さんはどう思われるだろうか。

「不法移民」の問題を受け止めない日本

またトランプ政権が「不法移民」問題で暴走している。本稿を書いている時点（二〇一九年一月）で米連邦政府機関の一部閉鎖は何と二十二日間を超え、史上最悪となった。トランプ氏はメキシコ国境に壁を建設する予算を執拗《しつよう》に求めている。だが、中間選挙で下院多数派となった民主党に譲《ゆず》る気配はまったくない。この米行政府と立法府との出口のない政争はいつまで続くのだろうか。

一方、多くの日本人にとってこの「壁建設」問題はどうもピンとこない。四方を海に囲まれた島国・日本には国境の壁などそもそも必要ないからだ。広大な海洋が、外敵はもちろん、潜在的不法移民の予備軍も含め、外国からの人的侵入を相当程度防いできた。日本は水域という「自然の要塞」をもつ、地政学的に見てじつに有利な海洋国家なのである。

だが、話はここで終わらない。筆者が懸念するのは日本人が「不法移民」を自らの問題として十分深刻に受け止めていないことだ。（不法）移民の問題は、米国にとって建国前からの大前提であり、欧州諸国にとっては第二次大戦後の比較的新しい社会問題であるのに対し、日本にとっては恐らく、これから直面するであろう将来の大問題だからである。

米国における議論は公開かつ真剣

という訳で、不法移民問題を取り上げよう。まずは、「壁建設」の是非で揺れる米国の状況から概観する。続いて欧州の現状に簡単に触れた上で、最後は二〇一八年の臨時国会で出入国管理法を改正し「外国人労働者に対するビザ発給拡大」という名の実質的「移民政策」を採用した日本が欧米の経験から学べることについて考えたい。

まずは米国だが、最近トランプ氏は禁じ手に言及し始めた。メキシコからの不法移民は「国家安全保障上の危機」であり、大統領は「非常事態宣言」を発出できるのだという。陸軍工兵隊用の施設建設費など国防予算のなかから壁建設費用を捻出できると考えているらしい。あれあれ、トランプさん、非常事態とはあなた御自身のことじゃないですか？

最新のある米世論調査によれば、興味深い事実が見えてくる。たとえば、①米国人の半数は流入移民の大半が合法移民であることを知らず、②移民の有用性について米国世論は割れており、③米国人の五割強は壁建設に反対であり、④これに賛成する共和党員の多くは国境付近に住むが、⑤壁の効用についても民主党員と共和党員で意見は大きく割れている。

さらに、⑥民主党員の大半と共和党員の半数は米国が費用負担すべし、⑦大半の米国人は子供の不法移民には永住権を与えるべしと考え、⑧過半数の米国人は妥協するより信念を貫くトランプ氏のような政治家を好み、⑨米国人の大半がトランプ政権と民主党の協力を望んでいる。いずれにせよ、米国における移民問題の議論は公開かつ真剣なものだ。

一方、別の世論調査では「壁建設」を支持する声が四二%と、一年前に比べ八ポイントも増えている。とくに、共和党支持者のなかでは壁建設支持が八七%となり、無党派層でも支持者が四〇%と一一ポイントも上昇した。どうやら米国では不法移民対策強化を求める声が高まり、保守層の支持固めを狙ったトランプ氏の政治戦術は一定の成果を上げているようだ。

自由で民主的な社会ほど脆弱

続いて欧州に目を転じよう。同地域ではいま中東・アフリカ地域からの移民・難民流入に直面し、移民問題に関する議論が深まっている。欧州の人びとは既得権の喪失《そうしつ》を本能的に恐れ、それがグローバリズムとEU（欧州連合）に対する怒り・不信となり、差別的、排外主義で、不健全かつ大衆迎合主義的な民族主義が台頭する原因の一つとなっているようだ。

筆者はこうした現象を「ダークサイドの覚醒《かくせい》」と呼んでいる。トランプ当選だけでなく、キャメロン英首相の失脚も、ルペン仏大統領候補の健闘も、メルケル首相引退など欧州で相次いだリーダーの交代は、いずれもこうした不法移民問題に対する本能的恐怖がつくり出した政治社会現象ではないかと考えている。

幸い日本は、これまでこうした問題とは比較的縁が薄かった。地政学的にいえば、日本には人の移動を妨《さまた》げる広大な水域があるだけでなく、周辺地域に自国を捨て経済移民・難民として日本列島をめざすような人びとが比較的少なかったからだろう。しかし、こうした幸運は二十一世紀に入り、期待できなくなるかもしれない。これが筆者の問題意識だ。

理由は三つある。第一は、人間の移動能力の飛躍的な向上だ。昔なら物理的に移動不能な距離がいまや簡単かつ集団で移動できる。第二は、情報伝達速度の短縮化。以前なら限られた人びとだけが知り得た知識が瞬時に不特定多数により共有される。第三は、先進国社会の弱点だ。皮肉なことに、自由で民主的な社会ほど不法移民問題には脆弱《ぜいじゃく》である。

最後に日本人が考えるべきことを書こう。少子高齢化が進んでも従来どおりの生活水準を維持したければ移民を受け入れるしかない。これが欧米諸国から学ぶ唯一の教訓だ。ところが、日本ではいまも二〇一八年の入管法改正は「移民政策」ではない、というのが公式見解。移民について真正面から論じることはない。こんな国にまともな移民政策など生まれない。

東京周辺だけでも多くの地方都市で外国人居住者の割合が高まっている。彼らが日本の社会に溶け込み共生できて初めて日本は経済成長と社会的安定を両立できるだろう。われわれにはその準備が整っているだろうか。欧米のさまざまな取り組みを見聞きするたびに、日本社会もこの問題への真剣な対処が不可避であることを痛感する。時間は限られているのだ。

歴史は繰り返さないが韻を踏む

一九九〇年ごろからか、東西冷戦の終焉《しゅうえん》を確信した世界の政治学者たちが勝手なことを言い始めたようだ。自由民主主義の最終的勝利で人類発展の「歴史は終わった」と断じた学者がいる。かと思えば、著名コラムニストがＩＴの飛躍的発展と経済のグローバル化により「世界はフラット化」しつつあると言い出した。いまからわずか二十年ほど前の話だ。

一九九一年に湾岸戦争が勃発した。当時筆者は外務省北米局でイラク軍をクウェートから放逐する「第一次湾岸戦争」に半ば当事者として関与していた。当時米国防総省や米軍関係者とよく議論をしたが、「歴史が終わる」とか、「世界が平らになる」などという発想はなかった。実務の最前線にいると、逆に、歴史の大局は見えなくなるのかもしれない。

外務省を辞めて二〇一九年で十五年目の夏を迎える。過去十四年間、無我夢中で全力疾走してきたが、最近ようやく歴史の大局を考えることが無性に楽しくなってきた。大局が見えてきたなどと言うつもりは毛頭ない。むしろ、長い人類の歴史のなかでは個々の人間が果たせる役割には自ずから限界があることを痛感する毎日だ。

それでも、最近気になることがある。迷走するのは米トランプ政権や英国のＥＵ（欧州連合）離脱劇だけではない。冷戦時代までは、基本的に多くのことが事前にある程度予測可能だった。ところがいまは欧州が、中東が、そしてアジア地域までもが、等しく不確実性を高め、従来とは異なる、経済的、軍事的合理性を欠く動きを示し始めたことが強く懸念されるのだ。

いま筆者が最も関心のある時代は一九三〇年代。筆者の専門は歴史ではないが、ここでこの十年を振り返ることは決して無駄ではなかろう。「歴史は繰り返さないが押韻《おういん》する」という諺《ことわざ》もある。個々の具体的事象は異なるものの、歴史の大局の基本部分は往々にして似たような韻を踏むことが多いからだ。まずは一九三〇年から始めよう。

なぜ予想できなかったのか

同年、日本の濱口雄幸《はまぐちおさち》内閣は金輸出自由化に踏み切った。前年十月にニューヨーク株式市場で大暴落があったが、日本の金融界はこれ以上の遅延は許されないとして金解禁を支持した。その結果、投機筋の思惑買いによる円買いドル売りで巨額の金と正貨が国外に流出してしまう。それにしても当時の関係者はなぜそれを予想できなかったのか。

一九三一年、若槻禮次郎内閣が中国における軍部暴走を事実上黙認したこともあり、満州事変が勃発する。続く犬養毅内閣は金輸出を再び禁止し、インフレ策と不況対策で経済の立て直しにある程度成功した。それにしても、当時の軍部は同事件の中長期的悪影響をなぜ見通せなかったのだろうか。

一九三二年には五・一五事件で犬養首相が暗殺され、それ以降日本では政党内閣による統治が失われる。翌一九三三年にはドイツでナチス党が独裁権力を確立し、ヒトラーはベルサイユ条約を破棄してドイツの再軍備を宣言、国際連盟や国際労働機関からの脱退を実行する。ドイツ国民はなぜあのような非人道的なナチス政権誕生を許したのだろうか。

一九三四年には日本の帝国弁護士会がワシントン海軍軍縮条約廃棄を求め、日本政府は同年十二月に実際に廃棄を通告したため、その後、世界各地で軍拡競争が激化するようになった。それにしても、国際関係が専門ではない弁護士会がなぜそのような要請を行なったのか。なぜそうした非合理な政治決断が繰り返されたのか。

一九三五年にはナチスドイツがユダヤ人の公民権を停止、三六年には日本で二・二六事件が発生する。三七年には日米間で日本製綿製品のダンピングを制限する日米綿業協定が締結されたものの、三八年にはナチスドイツがオーストリアを併合、日本の帝国議会では国家総動員法が可決され、英仏伊独はチェコスロバキア帰属問題に関しミュンヘン協定を締結する。

追加的領土要求を行なわない旨の約束の代償としてヒトラーの要求を全面的に認めたミュンヘン協定は、第二次世界大戦勃発前の対独宥和《ゆうわ》政策の典型だった。当時のチェンバレン英内閣はなぜヒトラーにもっと圧力を掛けなかったのか。そして、三九年、ついにドイツとロシアがポーランドに侵攻し、第二次世界大戦が勃発した。もうこのくらいでよいだろう。

英国の作家でノーベル平和賞を受賞したノーマン・エンジェルは一九〇九年に名著『大いなる幻想』を書き、そのなかで「欧州諸国経済間の相互関係はあまりに密接であるため、戦争は完全に無益であり、軍国主義などは時代遅れである」と述べた。エンジェルのこの主張は完全に間違っていたが、約一世紀後のいまも、欧米で同様の主張が繰り返されるのは決して偶然ではない。

繰り返される「勢い」「偶然」「判断ミス」

今後は真に不確実性の高い時代が始まるような気がする。これからは当分、一九三〇年代のように、主要国の政治家が「勢い」と「偶然」と「判断ミス」による政治決断を繰り返す時代に戻るのではないか。そうなれば、政治家の個々の過ちを咎《とが》めたところで、状況は決して元に戻らない。つねにその時点で「新常態」が生まれていくからだ。

その後の予想は困難である。「新常態」を前提として、新たな「勢い」と「偶然」と「判断ミス」による政治決断が繰り返されるからだ。されば、日本もそうした前提で、いかなる変化にも耐えうるような柔軟かつ戦略的な政策立案を、短期間で行なう新たな意思決定過程をもつ必要があるだろう。残念ながら、いま世界では日本にとって最も不得意な時代が始まっているのかもしれない。

ますます拡大するＣＮＮとＦＯＸの差

この原稿は夜明け前のワシントンで書いている。幸いホテル側がアップグレードしてくれたので、部屋にはテレビが二台ある。こういうときは必ず、ベッドルームのテレビはＣＮＮを、リビングのテレビではフォックス・ニュース（以下、ＦＯＸ）を、それぞれつけっぱなしにして見比べる。これが米国出張の際の筆者の密かな流儀なのだ。

なぜそんなことをするのか？　この二つのケーブルニュースステレビ局が米国のまったく異なる有権者層を代表していると思うようになったからだ。部屋にテレビが一つしかないときはどうするか。その場合は、十分から十五分おきに、ＣＮＮとＦＯＸを交互に見ている。これら二つの局が同じニュースをいかに報じ分けているかに関心があるからだ。もちろん、こうした報道姿勢の違い自体は目新しくない。ＦＯＸは一九九六年、あのオーストラリア出身の新聞王ルパート・マードックが保守系視聴者を対象に開局したもの。その後ＦＯＸは順調に伸び、二〇〇八年にはケーブルニュース業界のトップに躍り出た。こうした傾向はいまも変わっていないと聞いている。

つい最近までケーブルニュース市場は、保守系のＦＯＸ、リベラルのＭＳＮＢＣとその中間にあるＣＮＮの三社が優勢といわれていた。しかし最近、とくに二〇一六年にトランプ氏が米大統領に選出される前後からは、中立系ＣＮＮと保守系ＦＯＸの報道姿勢の差がますます拡大しているように思える。そう感じ始めたきっかけは二〇一七年の六月だった。当時もホテルにいるあいだは部屋のテレビでＦＯＸとＣＮＮを十分から十五分おきに見比べていた。

どっちもどっちではないのか

驚いたのは、保守系のＦＯＸニュースが「ディープ・ステートの報復、トランプ政権崩壊を望む」といった煽情《せんじょう》的報道を終日繰り返し流していたこと。ディープ・ステートとは「闇の国家」などと訳され、政府の一部機関や組織が大統領に従わず勝手に行動すると考える荒《こう》唐《とう》無《む》稽《けい》な陰謀論だ。

ＦＯＸによれば、「トランプ大統領に解任された元ＦＢＩ長官も、司法省の副長官や特別検察官も、すべては闇の国家『ディープ・ステート』の一員であり、選挙で選ばれたトランプ氏に対するクーデターを企《たくら》んでいる」のだそうだ。面白くも所詮《しょせん》は信じ難《がた》い「陰謀論」にすぎないのだが、ＦＯＸの如《ごと》きメディアが終日繰り返し報じれば、普通の視聴者はそれを信じるだろう。ＦＯＸでは保守系議員や知事までがそうした発言を繰り返す。筆者ですら、「そうだったのか」と洗脳されそうになるから恐ろしい。ジャーナリズムの神髄《しんずい》は「陰謀」ではなく「事実」を伝えることではなかったのか。その意味でFOXは越えてはならない一線を越えてしまった。他方、最近のCNNも中道から左に大きく振れているような気がする。どっちもどっちではないのか。

これを痛感させられたのは、先日白人至上主義者がモスクで礼拝中のイスラム教徒に銃を乱射し五〇人もの死者を出したニュージーランドの事件に関するCNNとFOXの報道ぶりの違いだ。ちなみに、トランプ氏は事件発生後速《すみ》やかに、「ニュージーランド首相と話した、この悲惨な事件につき米国は同国と共にあり、支援する用意がある」とツイート。トランプ氏なら、こんなところだろう。

しかし、CNNの報道は厳しかった。具体的には、「大統領は極右白人ナショナリズムの非難を躊躇《ちゅうちょ》し、この事件を強く懸念する米国人イスラム教徒に対し同情と支援のメッセージを発出しなかった。代わりに、イヴァンカ・トランプが『ニュージーランドと世界のイスラム社会と共にこうした邪悪を非難する』とツイートし、世界中のイスラム教徒に寄り添おうとした」などと報じている。さらに、CNNは「この事件で世界の白人至上主義活動が台頭する懸念を感じないかとの質問に対し、トランプ大統領は『そうは思わない』と切り捨てた。

この事件の犯人が書いた文章のなかでトランプ氏が『新たな白人アイデンティティの象徴』として言及されている」などと報じ、トランプ氏の対応に強い疑問をこれでもか、これでもかと投げかけていた。

これに対し、ＦＯＸは「ＣＮＮやＭＳＮＢＣは遠い異国での殺人事件をトランプ大統領の影響力の結果などと決めつける報道を垂《た》れ流している。米国でこの種の事件が頻発《ひんぱつ》するようになったのはオバマ政権時代であることを無視している」などと強く批判する一方、多くのイスラム教徒が犠牲になったこの事件の続報はあまり流していないようだ。

米国版「一国二制度」

このように米国社会の分裂はいっそう深まるばかり。思わずこの国は「一国二制度」なのか、とすら感じてしまう。米国のジャーナリズムはどこへいってしまったのか。日本ではこのような非難合戦は決して起きない。放送法第四条で、「放送内容は公序良俗に反せず、政治的に公平であり、事実を歪曲してはならない」などと定められているからだ。

日本の放送法のお手本は一九四九年の米国放送法だが、一九八七年にレーガン政権は同法の「中立原則」を撤廃してしまう。こうして米国では放送機関の特定の政治的信条に基づく報道が認められたのだが、はたしてこれで米国の民主主義は進化したのだろうか。一方、日本には放送法第四条撤廃の議論があるが、それで日本の民主主義は本当に改善するのだろうか。

それに対する答えはいまの筆者にない。だが、一つだけ確実にいえることは、問題の本質が放送法の「中立原則」の有無などではなく、ＡＩ・ＳＮＳ革命の続くこの二十一世紀に、伝統的な意味での真のジャーナリズムが生き残れるか否かということだろう。その答えが出るまで、ＣＮＮ・ＭＳＮＢＣ対ＦＯＸの死闘は当分続くだろう。

拘束された二人の中国人女性

米国とカナダで起訴され、裁判を待つ二人の中国人女性がいる。一人はカナダ当局に拘束された中国の巨大情報通信機器メーカー最高幹部、もう一人はフロリダのトランプ氏別邸に忍び込んだ正体不明の中国人女性だ。この二人が拘束された背景を検証しつつ、日本への影響について考えたい。

まずは、この二つの事件の事実関係をあらためて確認しておこう。

二〇一八年十二月、カナダ政府は米国の要請に基づき、中国華為技術の孟晩舟・最高財務責任者（CFO）兼副会長を逮捕した。当時報じられた容疑は対イラン制裁違反と関連詐欺行為だったが、米司法省は一九年一月末、銀行詐欺、通信詐欺、司法妨害、米通信機器大手Tモバイルからの技術盗取未遂容疑などで華為技術と孟晩舟副会長を起訴している。

これに対し、孟被告は二〇一九年三月、カナダ政府、同国入国管理局・警察が「市民権を著《いちじる》しく侵害した」として行政訴訟を起こした。これには中国政府も強く反発、一八年十二月以来、カナダ人の元外交官や実業家らを相次いで拘束するなど、カナダに対する報復措置を強めている。

一方、二〇一九三月三十日にはフロリダのトランプ氏別荘に中国人女性が侵入し逮捕・起訴されるという事件が起きた。張玉静と名乗るこの女性は三月二十八日に上海から米国に入国し、二日後にフロリダ州の「マール・ア・ラーゴ」に侵入、受付で訪問目的を「国連中国系米国人協会のイベント」出席と説明したため、不審に思った大統領警護隊に拘束されたという。

報道によれば、彼女は「チャールズという中国人の友人に誘われた」と主張、中国語の招待状、中国発行のパスポート二冊、携帯電話四台、ノートパソコン、コンピューターウイルスが入ったＵＳＢメモリーを持っていたそうだ。別途、ホテルの部屋からは隠しカメラ発見装置、ＵＳＢメモリー九個、ＳＩＭカード五枚、現金七五〇〇ドルなども見つかった。ＦＢＩ（連邦捜査局）は彼女を中国諜報機関のスパイだと疑っている。

情報(information)と諜報(intelligence)を区別しない

そもそも、この二つの事件、一見相互に独立しているようだが、じつは共通点が多いだけでなく、突っ込みどころも満載だ。天邪鬼《あまのじゃく》の筆者もいくつか茶々を入れてみたくなる。たとえばこんな具合だ。

1、そもそも、「華為」は「ファーウェイ」とは発音しない。華為は中国語で「ファア・ウェイ」と発音する。far wayではないのだ。この会社をファーウェイなどと発音しているようでは、同社の本質を理解するのは難しい。「発音ぐらいどうでもよいではないか」と訝《いぶか》る向きもあろうが、この種の問題は中国人の発想と視点で考えないと読み誤る恐れがある。

2、なぜ華為の通信機器は危険なのか。同社製品に対する疑惑は十年前に遡《さかのぼ》る。米国家安全保障局（NSA）は二〇〇九年末、米国通信大手AT&Tに対し、華為技術の通信機器は中国諜報機関のスパイ活動に利用される恐れがあるため取引しないよう警告していたという。インド政府は二〇一〇年三月から、華為技術などの通信設備・機器には盗聴用の特殊なチップが組み込まれているとして輸入を事実上禁止したそうだ。疑惑は最近のものではないのである。

3、華為は中国の民間企業ではないのか。形式的にはそうだが、いま中国には悪名高き「国家情報法」がある。二〇一七年六月に施行された同法第七条は「いかなる組織及び個人も、国家の情報活動に協力する義務を有する」と定めている。簡単にいえば、中国では国家組織はもちろんのこと、民間企業や個人であっても、軍や諜報機関から要請があれば、事実上スパイ活動を行なう以外に選択肢はないのである。

4、張玉静はなぜいとも簡単に捕まったのか。恐らく彼女は素人だろう。報道内容が事実ならば、この女性の技術はあまりに稚拙《ちせつ》で、およそ専門的訓練を受けているとは思えないからだ。それでは彼女は無罪かというと、それも否である。

5、張玉静はプロのスパイなのか。彼女が中国のプロのスパイである必要はない。なぜなら、中国諜報機関はつねに中国人の「素人」をリクルートしようと試み、「素人」はいつでもスパイ活動に協力する傾向があるからだ。筆者の手元には二〇〇一年十月に英国防省が外国に出張・滞在する政府関係者用に作成した防諜マニュアルがある。そこには中国の諜報機関の情報収集活動の手法が見事に描かれている。

要するに、中国の諜報機関は情報（information）と諜報（intelligence）を区別しない。だから、プロの諜報部員ではなく、素人の一般中国人にターゲットから情報を得させせようとする傾向があるというのだ。なるほど、これでは摘発が難しい訳である。

6、なぜ中国の諜報活動は危険なのか。それは中国の諜報機関が「ジェームズ・ボンド」よりも「普通のおじさん、おばさん」を多用するからだ。中国の諜報機関は、限られた諜報を短期間にターゲットから直接獲得すべく努力する「狩猟型諜報」ではなく、より浅く、広く、間接的ながら数多くのルートから末永くさまざまな情報を収集する「農耕型諜報」を重視する。だから、中国の諜報活動は時間はかかるが効果的なのである。

されば、中国人女性の行動は氷山の一角にすぎない。あれだけ防諜活動に多くの資源を投入する米国ですらこの有り様だ。そうだとすれば、中国諜報機関が日本国内でいかなる活動を積み重ねてきたかは、恐らくわれわれの想像を超えるだろう。日本の防諜活動には抜本的な改善が直ちに必要だ。「備えあれば憂《うれ》いなし」ではなく、「備えなければ憂いもなし」がまかり通るこの国の将来は決して明るくはない。

学生と一緒に政策シミュレーションゲーム

この原稿は東京行き新幹線のぞみのなかで書いている。いまは日曜日の夜、それにしても今日もシンドイ一日だった。京都の立命館大学の客員教授として若い学生を教え始めたのは二〇〇六年、一九年でもう十四年目に入る。四コマ、六時間ぶっ続けの特別授業を先ほど終え、ようやく家に帰るところだ。

筆者が教えるのは二〇一九年度、八回予定している政策シミュレーションゲーム、今日はその記念すべき第一回だ。筆者が所属するキヤノングローバル戦略研究所では年に三回、二十四時間ぶっ続けでやっているシミュレーションゲームだが、これはその学生用短縮版である。

それにしても若い学生と一緒に時間を過ごすのはじつに楽しい。とくに一年生、二年生は最高である。いい意味で彼らには、青臭いが汚《けが》れを知らない知的新鮮さがある。彼らの多くは西暦二〇〇〇年前後の生まれだろう。文字どおり二十一世紀の日本の新たな若い世代を代表する連中だ。

そうはいっても、今日の授業の結果は流石《さすが》の筆者も、大いに驚いただけでなく、ショックすら受けた。彼らのパフォーマンスが悪かった訳では決してない。それどころか彼らは、初めてにしてはじつによくやった。筆者が驚いたのははじつは彼らと自分自身との世代格差の大きさである。その理由はこうだ。

今回の政策シミュレーションの想定は、現在進行形の今日の朝鮮半島情勢だった。二〇一九年二月末に米大統領がハノイでの米朝首脳会談を決裂させて以来、米朝両国は北朝鮮の「非核化」をめぐる第三回首脳会談の開催を模索しているという状況を設定した。

日本と中国はそれぞれ米国との貿易交渉の真っ最中、可能であれば六月末の大阪G20首脳会合の際の合意達成をめざしている。同時に日本は拉致問題を解決すべく北朝鮮との首脳会談開催の可能性をも模索している。韓国は「非核化」交渉を続け、ロシアはそれに参画することをそれぞれ狙っている。

政策シミュレーション前半はこうした外交交渉ゲームであり、あまりサプライズはなかった。米中交渉は成果がなく、中国の仲介で日朝首脳会談は開かれたが、拉致被害者帰国には合意できなかった。ロシアは新たに「六者協議」開催を提唱したが、その実現には至らなかった。

筆者が真に驚いたのは後半だ。学生に刺激を与えるため、「北朝鮮から数千人規模の脱北者が南下し、三八度線を越えて韓国領に侵入したため、北朝鮮軍が発砲。韓国側もそれに応戦したため、各地で銃撃戦が発生し、一九五三年の休戦協定は事実上破られた」という臨時ニュースを流したのだ。その上で筆者は日米中露と南北朝鮮の六チームそれぞれに対し、新たな緊急事態に対応する各国の「アクション・プラン」を提出するよう求めた。その後、学生たちが約一時間かけて準備したのが次の行動計画である。

日本：朝鮮半島での新たな危機には介入せず、例外は日本領海内に到達した脱北者の救助など海上保安庁の活動のみとする
米国：北朝鮮軍が三八度線を越え、かつ韓国からの要請があれば、在韓米軍は武力を行使する
中国：基本的に行動せず、米朝首脳会談開催の阻止を図るが失敗する
ロシア：クリミア併合後発動された経済制裁の解除を米国に要請する
韓国：北朝鮮側に対する発砲はやめず、北側と統一問題を議論する
北朝鮮：核兵器開発計画に関連する秘密軍事施設に関する情報を開示し、脱北者に対する取り締まりを強化し、韓国側に脱北者の強制送還を要請する

学生たちのナイーブさを笑わないでほしい。彼らは外交の実務を知らない大学生にしてはよくやったと思う。彼らが提案した行動計画自体はまったく驚かない。それどころか、学生たちの想像力の高さと知的努力を高く評価すべきだとすら思っている。

失われた事前協議制度の記憶

筆者が驚いたのは、シミュレーションに参加した学生の誰一人として、一九五三年の米韓相互防衛条約、一九六〇年の日米相互安全保障条約に言及しなかったことだ。朝鮮半島で停戦合意が破られたにもかかわらず、誰もその重大さを指摘しなかったのはいったいなぜなのだろう。

授業の最後に筆者はこう説明した。日米安保条約第六条は「米軍は日本が提供する施設・区域の使用目的として『日本国の安全』だけでなく『極東における国際の平和及び安全の維持』に寄与すること」と定めている。これが在日米軍の行動に関する基本的な条文である。

さらに筆者は、「条約第六条の実施に関する交換公文」が「日本の領域内にある米軍が日本の意思に反して一方的な行動をとることがないよう、米国政府が日本政府に事前に協議することを義務付けている。その対象となる行動の一つが日本から行なわれる戦闘作戦行動である」ことも併せて説明した。

　事前協議制度は、筆者の世代が学生であった昭和の一九七〇年代、日本の安全保障問題の最重要論点の一つだった。当時の学生なら誰でも一度は聞いたことがあるはずだ。朝鮮半島危機の際、米軍が日本から直接北朝鮮を攻撃するには、日本政府に対する事前協議がいまでも必要である。

　残念ながら教室内でこのことを知っている学生はほとんどいなかった。これはいったい何を意味するのか。たんに筆者が歳をとったということだけではない。それは時の流れとともに、世代が交代し、重要な歴史的記憶が失われていく恐れがあるということなのか。これこそが筆者が感じた世代ギャップの正体だろう。昭和は遠くなりにけり、だが、同様のことは世界各国でも見られること。授業ではこのことをあらためて痛感させられた次第である。

有効期限に要注意

　この原稿はワシントン発帰国便の中で書いている。正直なところ、今回の米国出張ほど疲労した旅行は久し振りだ。とにかく何から何まで、やることなすこと、すべてがうまくいかなかったからである。こんな思いは四十年前のエジプトでのアラビア語研修以来ではないか。最近の人間社会はスマホやＩＴのおかげで随分便利になったと思っていたが、おっとどっこい、世の中そう甘くはないようだ。

　最初の躓《つまず》きはワシントン到着後のダレス国際空港での入国審査だった。いつものとおり、ＥＳＴＡ（電子渡航認証システム）を使って入国しようとしたら、係官にパスポートを取り上げられた上、別室へ行けと言われてしまった。ＥＳＴＡとは、ビザ免除プログラムを利用して渡米する旅行者の適格性を判断する電子システム。事前に登録していれば問題なく米国に入国できる、はずだった。

　筆者のパスポートは赤いテープで縁取りされた透明プラスチックケースに監禁され、筆者はそれを持って入国に問題のある外国人を調べる別室に向かった。何かまずいことをしたのかなぁ。三カ月前は問題なく入国できたのに。別室に到着すると、そこにはすでに一〇人近い世界中の「得体の知れない」人びとが不愉快そうに座っていた。あぁ、俺もついにこの「得体の知れない」人物の一人になっちまったのか。

待つこと約四十分、ようやく係官の尋問が始まった。罪状はＥＳＴＡ登録の失効だった。わずか二日前だったが、失効には変わりない。ただちに人定尋問、お前は誰かときた。職業から入国目的までネチネチと聞いてくる。米国が主権国家であることをあらためて思い知った。ところが一九九〇年代のワシントン在勤経験を伝えたら、急に態度が変わった。ビザ発給料は四八五ドル。皆さん、ＥＳＴＡの有効期限には要注意ですぞ。

やっとのことで入国したあとも筆者の受難は続いた。昼食を約束した親友は直前にアキレス腱を損傷、ランチはキャンセルに。有力紙のコラムニストとの再会も日程変更で電話でしか話せなかった。ホテルに着いても部屋の準備はできていない。米国シンクタンクとの共同イベントでも気の利いた話はできなかった。だが、ワシントン滞在中最大のサプライズは中東湾岸地域で起きたあの事件だった。

二〇一九年六月十三日、ホルムズ海峡付近のオマーン湾を航行中のノルウェーと日本のタンカーが何者かに攻撃された。しかも、同時期、安倍晋三首相は日本の首相として四十一年ぶりにイランを公式訪問中ときた。米国務長官は同事件の背後にイランがいると断言するとともに、イランは日本タンカー攻撃で日本の首相を侮辱したと述べた。これに対し、イランはいかなる関与も完全に否定している。

北朝鮮より危険な米国の中東回帰

筆者がこの事件でショックを受けた理由は二つある。

第一は、米国とイランの間で緊張が高まっても、イランが過剰反応する可能性は低いと考えていたからだ。たしかにトランプ政権の一部はイランを軍事的に挑発している。しかし、イランはそんな挑発には乗らない。イランは北朝鮮よりはるかに賢く、「力」の意味をよく知っている。米国の挑発にイランが手を出したら、ワシントンに攻撃の口実を与える。イランがそんな馬鹿なことはしないだろう、と。

ところが、どうやらイランがその「馬鹿なこと」をやった可能性がでてきたのだ。もちろん、イランが実行犯である決定的な証拠はいまのところない。世界中の中東専門家は、イランが支援する各地の武装勢力の仕業だ、いや、これはイスラエルだ、サウジアラビアだ、などといった陰謀論を垂れ流しているが、どれも眉唾《まゆつば》だろう。他方、いまの筆者には「イランはやらなかった」と言い切る自信もない。

何らかの理由でイランが関与したのだとしたら、筆者のイランに関する読みは一部外れたことになる。米イラン間に大規模戦闘が起きないと筆者が考えた最大の理由は、両国とも相手に甚大な被害を与える軍事力を有しているので、両国間には一定の相互抑止が効くだろうと思ったからだ。しかし、筆者のショックはこれだけではない。さらに深刻な問題が生じうることを痛感させられたからだ。

この事件が起きるまで、米国のマスコミの関心は主として米国の対中強硬路線の行方だった。トランプ政権の関税政策の是非から、ファーウェイや5G政策の将来、さらには、新たな「インド太平洋戦略」の下で、米国の同盟国・友好国が、「ハブとスポーク」型の二国間安全保障関係から、より有機的な「安全保障ネットワーク」構築をめざすことの是非も議論されていた。

ところが事件発生後は、新聞紙上からも、テレビニュースや評論からも、「インド太平洋」や新たな対中政策に関する関心が一瞬にして消え失せた。それに代わり、マスコミの関心は、突然しかも一夜にして、イランとの軍事的衝突の可能性に移り、中東湾岸地域に関する情報が繰り返し、繰り返し報じられるようになったのだ。

だが、こうした現象は初めてではない。二〇〇一年春、ブッシュ政権は中国に対する懸念を深め、クリントン政権より厳しい対中政策を準備していたが、同年九月の同時多発テロで一瞬にしてお蔵入りとなった。二〇一三年、中国が南シナ海で人工島をつくり始めたころも、オバマ政権はシリアの化学兵器使用問題で右往左往しながらイスラム国への対応に明け暮れたではないか。誰が下手人《げしゅにん》であれ、ホルムズ海峡付近でのタンカー攻撃で最も利益を得るのは中国とロシアだ。北京とモスクワの高笑いが聞こえるようだ。

「必ず報いがあるぞ」

英語にコンセクゥェンス（consequence）という言葉がある。一般には「結果」と訳されるが、同じく「結果」を意味するリザルト（result）とは若干ニュアンスが違う。原因に対する直接の結果である後者の意味合いは概《おおむ》ね中立的だ。これに対し、間接的な結果を意味する前者は、特定の事象との関連で必然的に生ずる帰結であり、よくない結果や報《むく》いを暗示することが少なくない。

当然ながら、コンセクゥェンスのほうが使い方は難しい。たとえば、You will face consequences! といえば、それはたんに「結果が出ますよ」ではなく、「（それをやれば）必ず報いがあるぞ、思い知らせてやるぞ」といった含意《がんい》のある脅《おど》し文句にもなりかねない。外務省には合計二十七年在職したが、このような下品な表現は、外交交渉の場ではもちろんのこと、プライベートな会話でもほとんど使った覚えがない。

このコンセクゥェンスなる語を頻繁に使う政治家が現れた。それが現職の米国大統領である。トランプ氏は二〇一八年七月、お得意のツイッターでイランのロウハニ大統領に対し次のように警告した。「間違っても二度と米国を脅迫するな。さもないと、人類史上ほとんど誰も受けたことのない種類の結果（報い）を受けることになる！」。このとき米大統領が使った表現が「YOU WILL SUFFER CONSEQUENCES」であった。

これだけではない。トランプ氏はこの種の「口撃」の常習犯であり、大統領選挙出馬前の二〇一四年にも、「米国はエボラ出血熱に罹患《りかん》した米国人の再入国を認めるべきではない。支援のため遠い外国に行ったのは偉大だが、その結果は甘受すべきである」とツイートしていた。トランプ氏は大統領になるはるか昔からこうやってビジネスで成功してきたのだろう。しかし、問題はトランプ氏だけではない。

北朝鮮だってこの種の恫喝《どうかつ》では負けていない。二月の第二回米朝首脳会談が決裂したあとも、北朝鮮の外務次官は四月末に、「もし米国が引き続き問題を混乱させ、われわれの設定した期限内に新たな立場を示さないならば、彼らは間違いなく望まない結果に直面するだろう」などと発言している。英語圏のメディアは一斉に「北朝鮮が望まない結果（コンセクゥエンス）について警告」と報じた。

日韓関係でもかくも下品な表現が

さらに気になるのが韓国だ。七月一日、日本は重大な決断を発表した。経済産業省は外為法に基づき韓国向け輸出について厳格な制度運用を行なう。具体的には、七月四日からフッ化ポリイミド、レジスト、フッ化水素の韓国向け輸出と関連製造技術の移転を包括輸出許可制度の対象から外すとともに、いわゆる「ホワイト国」から大韓民国を削除するため手続きを始めた。案の定、韓国は猛反発している。

文在寅《ムンジェイン》大統領は十五日、「制裁の枠組みのなかで南北関係の発展と平和に総力を挙げる韓国政府への重大な挑戦だ」として強く日本を非難。さらに十七日には匿名の韓国政府高官が、「韓日貿易紛争は『恐ろしい結果』を生む可能性があり、科学技術を政争の具にすれば『悲劇的な結果』に至るだけ」と述べたという。哀しいかな、米朝や米イランだけでなく、日韓関係でもかくも下品な表現が使われ始めている。

最近の日韓の一連のやりとりを見て思うことがある。考えてみれば、日本の対韓国措置は第二次大戦後の日本が、「外国に対し強硬策を検討し、それを実施し、その結果をあえて受け入れようとした」初めてのケースではないか。これまでの日本は「平和国家」であり、「国連中心」の「国際協調」をつねに重んじ、自制に自制を重ね、対決的姿勢を回避してきた。それが変わりつつあるのか。

でも、日本はまだまだお行儀がよいほうだ。韓国の一九六五年日韓基本条約の無視という「国際法違反」に対しても、それとは直接関係のない韓国の輸出管理体制の不備につき、あくまでWTO（世界貿易機関）協定と整合性のある範囲内で、厳しい措置を取ることに止《とど》めている。欧米メディアは「日本もトランプ政権と同罪になった」と批判したが、日本の関係者なら「米国と一緒にしないでほしい」と反発するだろう。

「結果を恐れなくなった」日本

しかし、この問題の本質は日本の措置の「WTO協定その他との整合性」の有無ではない。筆者が最も懸念するのは、韓国の度重なる国際法無視や、対日関係よりも国内政治を優先する文政権の理不尽な姿勢に対し、日本もついに「堪忍袋の緒」が切れ、「結果を恐れなくなった」可能性があることだ。もちろん、日本の措置が間違いだとはいわない。だが、これらが最善でないことも間違いなかろう。

筆者は以前の項で「これからは当分、一九三〇年代のように、主要国の政治家が『勢い』と『偶然』と『判断ミス』による政治決断を繰り返す時代に戻るのではないか」「されば、日本もそうした前提で、いかなる変化にも耐えうるような柔軟かつ戦略的な政策立案を、短期間で行なう新たな意思決定過程をもつ必要がある」と書いた。この考えはいまもまったく変わっていない。

韓国の不当な措置に日本は受動的、相互主義的に対応しただけかもしれぬ。日本国内の嫌韓感情が頂点に達し、政府として強硬策を取らざるをえなかったのかもしれぬ。いかなる理由があろうとも、ついに日韓関係にも「勢い」と「偶然」と「判断ミス」の時代が到来したのだろう。しかし、不愉快ではあるが、日本は決して戦略的思考を止めてはならない。それでは一九三〇年代と何も変わらないからである。

令和初の「終戦の日」に

二〇一九年八月十五日、日本は令和になって初の「終戦の日」を迎えた。全国戦没者追悼式が開かれ、五月に即位した天皇陛下が皇后さまと初めて出席された。陛下の「おことば」は即位後初めてであり筆者も大いに注目したが、『朝日新聞』は「不戦の誓い、令和も　戦没者追悼、『深い反省』を継ぐ戦後世代」と報じていた。これにはちょっと違和感があるのだが……。誤解を恐れず、筆者の素朴な疑問を書こう。

1、【「終戦」か「敗戦」か】日本ではいまも、あれは「終戦」か、「敗戦」か、「解放」だったのかをめぐり、イデオロギーや政治信条を超えた議論が続いている。いずれにも論拠があり判断は難しいが、筆者は、法的にも、実質的にも、一九四五年夏に起きたことは「敗戦」だったとみる。だからといって、次は勝ってやるぞといった「軍人的発想」でも、「自虐的」な憲法九条批判でもない。この点は批判を承知の上で申し上げておく。

2、【「敗戦」であれば、学ぶべき「教訓」は何か】筆者が「敗戦」を前提に議論する理由は、戦争に敗《やぶ》れ内外の多くの非戦闘員が犠牲となった原因を冷静かつ客観的に研究し教訓を学ぶことこそが戦争を知らない世代の責務だと思うからだ。では「敗戦の教訓」とは何か。それは戦争責任の追及でも、憲法九条礼賛でもない。なぜあのような事態を招く前に、日本国内で権力の行使につき「抑制均衡《チェックアンドバランス》」が働かなかったか。真に問われるべきはこれである。

国家が軍隊を用いてでも国民の生命と財産を守るのは当然だ。一九四五年の敗戦の原因は「連合国側の陰謀」でも、「日本に軍隊があったから」でもない。当時の日本の文民指導者が真の意味で「国民の生命と財産を守る」軍隊組織を指揮できなかったこと、国民も平和のために武力を用いるという「軍隊」の自己矛盾を深く理解できなかったからだ。しかも、この傾向はいまもあまり変わっていない。

3、【「深い反省」の真の意味】それでも筆者は今回、日本の真価をみた思いがする。それは天皇陛下がおことばのなかで「戦後の長きにわたる平和な歳月に思いを致しつつ、ここに過去を顧《かえり》み、深い反省の上に立って、再び戦争の惨禍《さんか》が繰り返されぬことを切に願い、戦陣に散り戦禍に倒れた人々に対し、全国民と共に、心から追悼の意を表し、世界の平和と我が国の一層の発展を祈ります」と述べたことだ。

全国戦没者追悼式で「深い反省」なる表現が使われ始めたのは一九九三年。爾後《じご》二〇一二年まで歴代内閣総理大臣の式辞のなかで用いられてきた。上皇陛下も四年前から「おことば」のなかで使われており、天皇陛下はかかる表現を「引き継がれた」と報じられた。そのこと自体に大きな驚きはない。国家・国民の象徴として、継続性を体現することは元首としての重要な責務だと思うからだ。

筆者もあらためて読み直してみた。日本とは何と素晴らしい国なのか、と率直に思う。戦後七十四年経っても、一国の事実上の元首が、過去に関する「深い反省」に公式に言及する。筆者はそのような国家を他に知らない。「戦争や植民地主義はけしからん」などというなら、ヨーロッパ列強だって同じだ。実際に旧植民地からは「謝罪を求める」声も出ている。しかし、公式に反省したり謝罪した旧列強はない。

4、【英国の例】これまで多くの国を植民地化し、度重なる戦争を戦ってきた旧大英帝国の例を書こう。英国も、他のヨーロッパ列強と同様、最近は昔の「奴隷支配」や「植民地支配」につき「謝罪」を求められるケースが増えている。ここでは直近の例をいくつかご紹介し、この古くて新しい問題に英国王室と英国政府がいかに対応してきたかをみてみよう。

①【アイルランド】二〇一一年五月、エリザベス女王はアイルランドを訪問し、同国大統領主催公式晩餐会で次のとおり述べた。「われわれの二つの島国が、歴史を通じ必要以上の心痛や騒乱、損失を経験してきたことは、悲しく遺憾な現実（a sad and regrettable reality）です。……われわれの困難な過去の結果として苦痛を受けてきたすべての人に対し誠実な思いと深い同情（sincere thoughts and deep sympathy）を表します」。

②【インド】二〇一三年二月、キャメロン首相はインド訪問の際の記者会見で、「なぜインドに謝罪しないのか」と問われ次のとおり述べた。「われわれは、私が生まれる前の四十年以上も前に起こったことを取り扱っている……歴史に立ち戻り、謝罪すべき事柄を見つけ出すことが正しいことであるとは思わない。起きたことを認識し、思い出し、理解と尊重を示すことが、正しいやり方であると思う」。

③【ジャマイカ】二〇一五年九月、キャメロン首相がジャマイカを訪問した際の発言をＢＢＣが次のとおり報じた。「最も暗い時代以来、さまざまな経験をともにしてきた友人同士として、この痛ましい遺産から未来を築くことへと進めるよう希望している」。

「深い反省」などと発言していない

もうこれ以上言う必要はないだろう。少なくとも英国の指導者たちは、過去の事象について、毎年「深い反省」などとはいっさい発言していないのだ。これが世界の現実である。

だから日本も……と言いたい訳ではない。筆者の真意はむしろ逆だ。普通なら謝罪は一回で十分である。それでも日本は、他の主要国が絶対に言わないことを、これまで言い続けてきたではないか。筆者はそんな日本を生《き》真面目すぎるほど真摯《しんし》な国だと思う。歴史にしっかりと向き合っているのはどの国なのか。この点は日本を批判する韓国や中国の人たちも正確に理解してもらいたいものだ。

香港のデモは「終わりの始まり」？

二〇一九年九月は強行軍の外国出張が続いた。世界で何かが動いているような気がして、東京にじっとしてはいられなかったのだ。初旬は香港に四十八時間、中旬には韓国のソウルに三十時間、米国スタンフォード大学には四十八時間、それぞれ滞在した。「いい歳《とし》をして無茶な！」とは思うが、それなりの成果もあった。わずか一カ月余りだが、日本を取り巻く外交・安全保障の潮流の変化を肌身で実感できたからだ。

まずは香港を例に考えよう。九月最初の週末もデモは続いていた。日本では「香港デモの若者を市民は見放しつつある」と見る向きもあるが、現実とは若干乖離《かいり》がある。デモ参加者はノンポリから武闘派まで多種多様、「市民」が「若者」を「見放す」といった単純な話ではないからだ。他方、この種の報道は「事実無根」ではない、云々《うんぬん》。事実を詳細に分析すれば、結論はおおむねこんな感じだろう。

さらに、次の議論も可能だ。行政長官は遅まきながら逃亡犯条例改正案を「完全撤回」した。デモ隊の要求の一つが完全成就《じょうじゅ》したことを過小評価すべきではない。やはり、香港のデモは「終わりの始まり」ではないのか、云々。たしかに一理も二理もある議論だが、いまはこうした枝葉末節《しようまっせつ》の表層的議論よりも、戦略的大局認識と現実的政治軍事分析に基づく新たな政策提言が必要ではないのか。筆者の見立てを書こう。

【中国】

①大局認識：中国の大国化は不可避だが、狙いは早急な世界制覇ではなく、まずは十九世紀アヘン戦争以来の歴史的屈辱の克服だろう。中国は香港民主化など決して認めないだろうが、一方、直接統治を急ぐ必要もない。香港での失敗は、核心的利益である台湾はもちろん、ウイグル、チベットなどにも波及しかねないからだ。民主主義のない中国にとり「時は味方」である。このことを忘れてはならない。

②政軍分析：中国の軍事大国化は続き、いずれ西太平洋における対米軍事バランスを変えていくだろう。しかし、中国の軍事的影響力が南シナ海を越え、インド洋から中東湾岸にまで及ぶか、ユーラシア内陸部でイスラム勢力を支配できるのか、ＡＩ（人工知能）を含む先端技術面で米国を凌駕《りょうが》できるか否かについては、それぞれ、一定の限界があるといわざるをえないだろう。

【北朝鮮】

①共産主義の中露を失った北朝鮮は一九九〇年代以降、国体維持・生き残り策を引き続き模索している。社会主義市場経済方式を採用した中越の「改革開放」モデルは拒否しつつ、核兵器開発を完成させつつある。②韓国・文在寅《ムンジェイン》政権の理想主義的南北政策と米トランプ政権の稚拙《ちせつ》な対アジア政策により、北朝鮮による核弾頭を搭載した中距離弾道ミサイルの実戦配備はいまや時間の問題となりつつある。

【韓国】

①朝鮮戦争以来の冷戦構造の変質、とくに北朝鮮の核武装化、中国の台頭、米国外交の迷走などにより、いまや韓国は新たな民族的主体性回復を志向する伝統的「勢力均衡」外交に回帰しつつある。

②南北の軍事的緊張緩和を優先する韓国は、冷戦時代に当然視されていた米韓日の同盟・準同盟関係を見直す一方、中朝露などとの関係改善と米韓同盟を同時に両立させるという困難な目標を追求している。

【イラン】

①二十世紀初頭のオスマン帝国崩壊から東西冷戦期を経て比較的安定していた中東情勢は、一九七九年のイラン革命、一九九一年の第一次湾岸戦争により不安定化が進んだ。こうした傾向は、二〇〇三年の第二次湾岸戦争によるイラクの解体、二〇一一年以降のシリアの弱体化によって新たに生まれた「力の空白」により拍車がかかり、結果的に、それまで封じ込められてきた中東の伝統的な帝国が復活し始めている。

②イランは、湾岸地域での二回の戦争により生まれた「力の真空」を埋めつつあるが、イラン対湾岸アラブ対立の本質は、シーア派対スンニ派といった宗教的側面よりも、伝統的なペルシャ対アラブの民族主義的側面から捉えるべきだ。その意味では、拡大するイランの影響力に歯止めをかけようとした「イラン核合意」が失敗したのも当然。中東現状維持勢力と変更勢力ペルシャとの対立は今後も続くだろう。

【欧州・ロシア】

①欧州方面での冷戦は一九九一年のソ連崩壊により終結したが、当時の東側解体が逆に、各加盟国の主権を維持しながら地域国際主義拡大を通じ欧州政治統合をめざすＥＵ（欧州連

合）の限界を露呈したことは皮肉だ。
②英国のEU離脱や欧州各国での民族主義・差別主義による政治的混乱は「欧州の内向き傾向」を促進し、大国間同士の国際的競争における、ロシアを含む欧州の影響力を低下させるだろう。

【米国】
①世界における「ダークサイド」、すなわち「醜《みにく》く不健全な民族主義、大衆迎合主義、差別主義、排外主義」の原点は米国ではないが、トランプ政権がこれを決定的に助長したことは間違いない。
②現在低下したのは米国の政治的、軍事的パワーではなく、そのパワーを適切に使う米政治家の能力である。

これまで述べてきた世界の情勢分析と政治・軍事情勢が正しいとすれば、日本について何が言えるか。結論は簡単。これまでわれわれが慣れ親しんできた外交・安保政策の常識がもはや常識ではなく、むしろ日本の生存にとって障害となりつつあることだ。

中国にも誤算はある

お約束の政策提言を書くことにしよう。

まずは中国。「中国の大国化は不可避だが、狙いは世界制覇ではなく、十九世紀アヘン戦争以来の歴史的屈辱の克服だ」「中国の軍事大国化は続き、いずれ西太平洋における対米軍事バランスを変えるが、インド洋、ユーラシア内陸部のイスラム勢力、AI（人工知能）を含む先端技術面での中国の政治的、軍事的影響力の拡大については、それぞれ一定の限界があるといわざるをえない」と書いた。

しかし、その中国にも「勢いと偶然と判断ミス」による誤算がいくつかある。なかでも最大の失敗は、オバマ政権時代に南シナ海岩礁埋め立てを進めて同地域の軍事要塞化を急いだことだろう。その稚拙な動きは逆に国際仲裁裁判所による国際法違反判断を招き、中国は墓穴を掘ってしまった。しかし、判断ミスというなら、オバマ政権がこうした中国の活動を事実上黙認した罪も決して小さくないだろう。

これからの日本の対中政策には戦略と戦術の使い分けが必要だ。日中関係は米中関係の従属変数であるが、米中の対立は今後最低二十年間は続く。されば、いまは日中関係を戦術的に改善する絶好のチャンスだろう。他方、中国が尖閣諸島や歴史問題などで日本に対し戦略面で譲歩を行なうことはない。いまこそ日本は防衛費を一層増額し、中国のこれ以上の現状変更を認めない抑止力を拡充すべきである。

韓国の勢力均衡外交を逆手に

続いて朝鮮半島だ。北朝鮮が「中越の改革開放モデルを拒否しつつ、中距離核弾道ミサイルの実戦配備を進め、体制の生き残りを模索する」一方で、韓国は「民族的主体性回復を志向する伝統的『勢力均衡』外交に回帰し、冷戦時代に当然視された米韓日の同盟・準同盟関係を見直す一方、中朝露などとの関係改善と米韓同盟維持を両立させようとしている」と書いた。

朝鮮半島についても誤算は多々ある。北朝鮮については、二〇一八年六月の米朝首脳会談開催と「非核化」の定義確定を最優先しないトランプ氏の誤った判断がその最たるものだ。一方、韓国については、文在寅大統領が民族的主体性回復を急ぐあまり、韓国に勢力均衡外交を実行するだけの国力がないことを自覚していないことが最大の誤算であろう。

日本の対半島政策はいま歴史的な分岐点にある。南北朝鮮が「ポスト冷戦後」を見据え、政策を変更しつつあるからだ。されば日本は北朝鮮に対し、非核三原則の部分的見直しを含む核抑止力の強化と、米朝交渉決裂後に拉致問題解決を模索する一方、韓国に対しては米韓日軍事同盟の維持が困難となりつつある現実を踏まえ、韓国の勢力均衡外交を逆手にとり、日韓関係の最低限の維持に努めるべきだ。

歴史問題のない中東へのナイーブな思い入れ

続いて中東、とくにイランについて。「イラン革命と第一次湾岸戦争により不安定化した中東湾岸地域には、第二次湾岸戦争によるイラク解体、二〇一一年以降のシリア弱体化により新たな『力の空白』が生まれつつある」、湾岸地域では「米国と湾岸アラブ諸国という現状維持勢力と現状変更勢力ペルシャとの対立が今後も続く」と書いた。

中東での「勢いと偶然と判断ミス」も枚挙に暇《いとま》はないが、なかでも最大のものは、オバマ政権の「イラン核合意」に至る過剰なほどの対イラン宥和《ゆうわ》政策と、その反動としてのトランプ政権による核合意離脱決定だろう。これと同時に、イランの対米強硬派による硬直した対米政策の限界も指摘しなければならない。イランのイスラム共和制にはつねに判断ミスを伴うリスクがあるからだ。

従来の日本の対中東政策の成功は、中東側の「美しき」対日誤解や理解不足と、日本側の「歴史問題」のない中東地域へのナイーブな思い入れが丁度良く「かみ合わなかった」ことの結果だ。これからは、対イラン友好といった幻想に溺《おぼ》れることなく、今後混乱することが必至の湾岸地域の現実的安定策を優先し、湾岸地域までのシーレーン維持のためさらなる防衛力の増強を進める必要があるだろう。

中露はあくまで戦術的パートナーでしかない

欧州・ロシアについては、「冷戦後の東欧ブロック解体とＥＵ新規加盟は逆に欧州政治統合をめざすＥＵ（欧州連合）の限界を露呈した」「欧州各国での民族主義・差別主義による政治的混乱はロシアを含む欧州の影響力をさらに低下させる」と書いた。オバマ政権時代に始まったウクライナ、クリミアをめぐるＮＡＴＯ（北大西洋条約機構）諸国の対露「宥和政策」なる判断ミスは今後もかたちを変えて続くだろう。

中長期的に見れば、中国がいずれロシアに対する脅威となる可能性は高い。しかし、米中関係と米露関係が改善に向かわない現状では、ロシアが中国を戦略的脅威と捉え、日露関係を改善させる可能性は低いだろう。しかし、中露はあくまで戦術的パートナーでしかない。つまり、戦略的に見れば日本の対露政策、とくに北方領土問題に関する政策の変更はいずれ必要となるかもしれない。

以上のとおり、いまの日本外交に求められるのは、個別の政策議論よりも、大局的な戦略判断の見直しである。これまでわれわれが慣れ親しんできた外交・安保政策の常識がもはや常識ではなく、むしろ日本の生存にとって障害となりつつあるからだ。いまこそ、現状を維持するため大胆に従来の政策を変える勇気が求められているのかもしれない。

誰かが継がないと潰れてしまう

「二〇一八年の私たちの最大の課題は事業承継であります」

同年一月、東北某県の中小企業団体連合会が主催した新年賀詞交換会で聞いたある挨拶の冒頭部分がこれだ。たまたまそこで講演する機会をいただいたのだが、懇親会の席で耳に入ってきたこの言葉は筆者に重く響いた。

件《くだん》の挨拶はこう続く。

「全国の中小企業の三〜四割は後継者がいないそうです。私たちはコンサルタントでも、評論家でもありません。私たちは実際に企業を経営する現役のプレーヤーなのです。この地元で、若者が本当に働きたいと思うような魅力ある企業をつくる。これが私たちの使命です」

外務省出身のおまえが何をいいたいのか、と訝《いぶか》る向きもあろう。しかし、これでも筆者は昔、中小企業のオヤジをめざした経営者の端くれだった。役所を退官したのは筆者の父親が亡くなった二〇〇五年、いくつかの小さな企業と数十人の従業員が残ったからだ。

誰かが継がないと潰れてしまう、そんな恐怖感もあった。それまで二十七年間、国民の税金で食わせてもらったのだから、これからは税金を払おう。中小企業のオヤジという第二の人生を始めるのだと勝手に決めて、外務省を辞めた。家族も含め、多くの人が驚いた。

だが、本人は至って本気。退職した翌日から東京湾にある現場で制服を着て、ボイラー、冷凍庫、電気設備のメインテナンスや警備業務などのプロたちと一緒に仕事をした。彼らはその道の専門家ばかり、筆者が逆立ちしても、彼らの仕事は真似すらできなかった。

井の中の蛙《かわず》とはこのことだ。いままで俺はいったい何を見てきたのか。国際社会で日本を代表するなどと格好をつけても、おまえはこれまでいったい何をしてきたのか、日本をどこまで知っていたのか。この現場こそ、この同僚こそが、日本社会そのものではないか。

通用しないモデルを切り捨てる

こうして外務省を退職した翌日、筆者はようやく、世の中が霞が関と永田町、東京とワシントンだけでは成り立っていないという当たり前の現実を知ったのだ。知らなかった現実はこれだけではない。父が残した企業群には大きな課題があった。

事業承継とは、会社の経営を後継者に引き継ぐこと。多くの中小企業では、オーナー社長の経営手腕が会社の強みや存立基盤そのものとなっている。そのオーナー社長がいなくなれば、当然、誰かを後継者にして事業を引き継ぐ必要があるのだ。

だが、そのためにはいくつか最低条件がある。まずは、その会社のビジネスモデルがマーケットで通用すること、第二に、通用しないモデルを切り捨て、新たなモデルをつくる力があること、第三には、オーナー社長の後継者に必要な経営手腕があることだ。

残念ながら、父のビジネスモデルは一九七〇年代のものだった。九〇年代以降、ニッチ産業でも一定の収益が見込める市場は終わった。親方日の丸型の補助金もなくなり、本格的値下げ競争のデフレ時代が到来した。わが社は十年かけて市場から撤退していった。

北朝鮮はブラック企業——古今東西、難しい事業継承

こんな昔のことを思い出しながら、本原稿を東北新幹線のなかで書きはじめた。でも待てよ、事業承継の難しさをいうなら、国際政治だって同じではないか。たとえば、筆者が外務省に入った直後、イランのシャー（皇帝）が革命で倒れた。これだって、事業承継の失敗ではないか。

その後も中東では独裁政権が相次いで倒れた。二〇〇三年、ウダイとクサイというサダム・フセインの二人のバカ息子がイラク戦争中に殺害された。二〇一一年、リビアのカダフィ政権が崩壊し、息子に政権移譲しようとしたエジプトのムバラク大統領も失脚した。

シリアだってアサド息子政権は不安定なまま。こう考えてくると、中東で事業承継に成功

している独裁国家はヨルダンと湾岸アラブ諸国くらいだ。されば、彼らを主権国家などではなく、巨大な中小企業と考えたほうが、その行方を占いやすいのかもしれない。

その典型例が北朝鮮だろう。北朝鮮を国家ではなく、企業と考えたらどうか。朝鮮民主主義人民共和国とは、先々代の金日成というオーナー社長が一九四〇年代のビジネスモデルで創業した、従業員二四〇〇万人の巨大な超ブラック・ファミリー中小企業である。

同時期、創業した中華人民共和国は一九七〇年代末にビジネスモデルを変え資本主義に移行した。しかし、北朝鮮は社会主義の老舗、創業者の「主体思想」というビジネスモデルは下ろせない。されば、生き残るために核兵器を開発するのも当然だろう。

問題は現在の三代目の経営手腕だ。だいたいこの種のファミリー企業内にはファミリー集団と番頭集団の確執がある。ファミリー側は「諸悪の根源が大番頭」と批判し、番頭集団はファミリーの一員に問題があると反論する。三十代の若造にいったい何がわかるのだろう。

われわれはいま、北朝鮮という巨大なブラック中小企業の事業承継を現在進行形で目撃しつつある。この承継劇が成功しても、失敗しても、日本は大きな影響を被《こうむ》るだろう。筆者個人の経験でいえば、この承継は失敗する可能性が高いと思っている。

ビジネスモデルがマーケットで通用せず、古いモデルを切り捨て、新たなモデルをつくる勇気を含め、三代目には必要な経営手腕がないと思うからだ。されば、このブラック企業が静かに市場から撤退することを祈るしかない。問題はそのための時間がないことである。

『鉄腕アトム』とAI版黙示録

空を超えて　ラララ　星の彼方
ゆくぞ　アトム　ジェットの限り
心やさしい　ラララ　科学の子
十万馬力だ　鉄腕アトム

JASRAC出2100630－102

中高年の読者なら覚えている方が多いだろう。有名な手塚治虫作『鉄腕アトム』の主題歌だ。アトムのデビューは一九五一年だが、TVアニメ化されたのは一九六三年、筆者にとってはじつに懐かしい歌詞とメロディーだ。振り返ってみれば、科学が生んだこの正義のロボットこそ、筆者にとって最初の人工知能（AI）ロボットだった。

人工知能ブームは一九五〇年代、一九八〇年代に続き、今回が三度目なのだそうだ。原動力は画像認識技術、ビッグデータ処理能力の飛躍的向上と計算速度の高速化だという。科学リテラシーの低い筆者には感覚的にしか理解できないが、今回のブームは、一過性ではなく、人類史を変えるゲームチェンジャーとなる可能性が高いらしい。

巷《ちまた》ではこの分野の専門家が文字どおり引っ張りだこだ。講演会で聴衆は彼らの言説をあたかも神からの預言のごとく崇《あが》め、必死でメモを取っている。「資金的にも人材的にも、日本はすでに負けている。オールジャパンのコンセンサス重視的手法を根本的に改めないかぎり、日本に明日はない」云々。筆者には神の啓示というより、ＡＩ版黙示録にしか聞こえない。

何か物足りないのだが、その理由は何だろう。この種の話を聞いて最も興味深かったことは、専門家や聴衆の関心が専《もっぱ》らＡＩ・ロボット技術の産業・社会への応用だったことだ。大学教授やビジネスマンがＡＩ時代のビジネスモデルの在り方に関心をもつのは当然としても、そこには先端科学の政治・軍事への応用という発想がまったくない。

時代は変わってしまった

筆者が物足りなかったのはまさにこの点だ。現在日本の科学者の大半は、「科学は人間のため、平和のためにあるべきもの」と信じている。もちろん、諸外国にも似たような傾向がないわけではない。しかし、とくに日本では、科学と軍事の距離が圧倒的に遠いのだ。筆者はこうした傾向を戦後日本の「空想的（これが失礼なら理想的）平和主義」と呼んでいる。

鉄腕アトムの主題歌を作詞した谷川俊太郎は「アトムという存在そのものが、哀しみというしかない何かを負っている」と述べたそうだ。一九七七年、アトムが原子力発電のＰＲに使われたとき、手塚は深い悲しみを感じていたという。手塚が考えたアトムのテーマは科学礼賛などではなく、むしろ科学万能社会への懐疑心だったからだろう。

街角に　ラララ　海のそこに
今日も　アトム　人間まもって
心はずむ　ラララ　科学の子
みんなの友だち　鉄腕アトム

おそらく原作者手塚治虫の懸念を代弁するのが主題歌第三番かもしれない。先端科学は人間を殺すのではなく、守るべきであり、だからこそ先端技術は人間の友だちになれる。科学技術の恐ろしさを熟知する手塚の思いはこれなのだろうが、時代は変わってしまった。中国など多くの国では最先端ＡＩ技術が非経済的分野の統治に応用されているからだ。

空想的平和主義で平和は達成できない

現在の筆者の関心はＡＩ技術を経済・社会ではなく、政治・軍事に応用する可能性である。先端技術は、ビジネスモデルだけではなく、統治モデルにも使えるはず。だが、いまも日本では、ＡＩ技術を政治とその延長である戦争に応用すること自体がタブー視されている。人殺しのためにＡＩやロボットを使うなんてトンデモナイということなのだろう。

しかし、隣国中国では最先端の画像認識能力により、中央政府は、反政府勢力や不満分子の摘発だけでなく、多くの一般庶民の活動を監視、制御、弾圧する能力を飛躍的に強化している。ロシアではその強力なサイバー戦能力を駆使して、欧州諸国はもちろん、遠く米国の大統領選挙にも介入し、政治的影響力を増大させている。第二次大戦後の日本では、国民的規模で「平和憲法のおかげで戦争が発生しなかった」という一種の誤解が生まれた。しかし、仮想敵国が日本を攻撃しなかったのは、憲法ではなく、効果的な抑止力を提供する軍事同盟があったからだ。戦後の空想的平和主義の公理に反するこうした議論は、一般には認められていない。

されば、先端科学ロボットの世界も同様ではないか。鉄腕アトムの主題歌には「敵」「悪」「戦う」といった単語が見当たらないが、科学の子・鉄腕アトムは人間を守るため、毎週邪悪と戦ってきたはずだ。心やさしい、だけでは平和は達成できない。平和を乱す連中と戦わないかぎり、平和は達成できないのである。

二十一世紀のＡＩロボットもアトムと同様、人間のために戦うのか。それとも人間を殺すのか。さらに、殺すとすれば、それは他の人間のためか、それとも、ＡＩロボット自身のためなのか。おそらく、七十年前に手塚治虫が心配していたのはこの懸念だったのだろう。

当時、鉄腕アトムは空想上の存在だったが、二十一世紀にＡＩロボットは間違いなく現実となる。いまこそ、人間の英知が試されているのかもしれない。

天国と地獄のあいだ

歴史に関して最近、面白い格言を見つけた。

「全ての歴史は（天国と地獄という）両極端間にある世界の振動の記録に過ぎない。歴史の一期間とは振子のひと振りでしかないが、これが常に動いているので、各世代は世界が進歩していると思っている」（all history is nothing but a record of the oscillations of the world between these two extremes. An epoch is but a swing of the pendulum; and each generation thinks the world is progressing because it is always moving.）

ジョージ・バーナード・ショー作の喜劇『人と超人』に出てくる哲学的対話の一部だ。ショーはアイルランドの劇作家で、文学者、脚本家、評論家、政治家、教育家、ジャーナリストでもあった才人。いまの筆者が歴史を考えるうえではじつに含蓄《がんちく》ある言葉である。

もし世界史がショーのいうとおり天国と地獄のあいだで永遠に続く振動の記録だとすれば、いまわれわれはいかなる振動の中にいるのだろう。われわれはこの振り子の動きを進歩だと誤解しているのか。されば今後、世界はどこへ向かっていくのか。筆者の見立ては次のとおりだ。

「民族主義・反国際主義」か「普遍主義・国際主義」か

二十一世紀に入り国際社会は、一九四五年の普遍主義・国際主義という「均衡点」から、次の「均衡点」に向けて徐々に動き始めた。次の「均衡点」ははたして「民族主義・反国際主義」なのか？　それとも歴史は再び「普遍主義・国際主義」に回帰していくのか。

現在と未来を語るため、まずは過去から始めよう。一九九〇年前後に東西冷戦が終息したのち、いったい何が起きたのか。ソ連崩壊後の十年間は米一極支配の時代だった。当時は人類の進歩と民主主義の勝利が喧伝《けんでん》され、F・フクヤマが『歴史の終わり』を書いた。

ところが、米国は二〇〇一年九月の同時多発テロ事件発生から「テロとの闘い」に没頭し始め、伝統的大国間競争への投資を縮小する。しかし、「歴史の終わり」はついに来なかった。逆に中露、とくに中国が政治、経済、軍事の各分野で米国に追い付き始めた。

こうした状況を米国が公式に認めたのはつい最近のこと。その典型例が、二〇一七年十二月に発表されたトランプ政権の「国家安全保障戦略」だ。同新戦略は中国とロシアを米国に対する「戦略的競争者」と位置付けた。

「持てる国」と「持たざる国」の相克

筆者が考える世界の現状は次の二点に集約される。

第一は国内面、筆者が「ダークサイド」と呼ぶ、不健全で差別的なナショナリズム・大衆煽動《せんどう》的ポピュリズムの台頭だ。経済のグローバル化にともない、米国・欧州・アジアの各国で負け組となった一部の「大衆」と勝ち組の「エリート」のあいだで相克《そうこく》が起きている。

ＩＴ技術は経済のグローバル化を不可逆的に進めたが、ＩＴには人間の心までグローバル化する力はない。行きすぎたグローバリズムの犠牲者を誰かが救済しないかぎり、負け組は今後も自国民第一主義、排外主義に傾倒していくだろう。

第二は国際面、とくに米国対旧帝国という大国間の競争・対立の激化だ。いまや大国となる条件は、植民地の多寡《たか》ではなく、人口、領土、資源、軍事力、経済力、技術力となった。これらをめぐり、新たに「持てる国」と「持たざる国」の相克が始まったのだ。

世界経済のグローバル化が止まらないなか、多くの国で内政の民族主義的、排外主義的傾向が進みつつある。今後、世界は「民族主義・反国際主義」の均衡点に向かうのか？　それとも現状は、次の「普遍主義・国際主義」の均衡点に至る過渡期にすぎないのか。

ここで筆者が注目するのは科学技術の役割だ。ＩＴ・ＡＩの先端技術はこの大衆とエリート、持てる国と持たざる国という「二重の相克」をいかに変えるのか。誤解を恐れずにいえば、現代最新技術は独裁制度と後発国に有利となる傾向があると筆者は見ている。

たとえば、ＩＴ・ＡＩの先端技術を権力集団が独占すれば、国内では独裁体制が圧倒的に有利となる。また、これらの技術が国際的に普及・飽和すれば、弱小国が伝統的な地政学的不利を逆転しやすくなり、後発国にとって有利となるかもしれない。

歴史的過渡期をいかに生き延びるか

以上の仮説が正しければ、二〇二五～二〇三〇年の世界はいまと大きく変わる可能性がある。まずはアジアだ。短期的には東アジア、とくに朝鮮半島が不安定化する可能性が大きいが、中長期的にはＡＩ技術を独裁統治に活用する中国が強大化していくだろう。続いて中東。短期的にはイラク、シリア、アフガニスタンの安定維持が崩れる可能性が高いが、中長期的には旧オスマン朝の中東部分がさらなる分裂・崩壊をしていく可能性を真剣に考えておく必要がある。

最後に欧州だが、短期的にはウクライナなど旧ソ連圏が不安定化する可能性が大きいものの、中長期的には、ロシアの勢力拡大が頭打ちとなる一方、ＥＵ内各国の民族主義的自己主張が高まり、欧州全体が混乱する可能性もあるだろう。

　要するに、少なくとも短期的には、世界が「民族主義・反国際主義」の方向に進んでいく可能性が高いということ。これが筆者の現在の歴史の大局観だ。されば、日本はこうした不透明な歴史的過渡期をいかに生き延びるか。日本の戦略環境は想像以上に厳しい。

　人口減少、成長鈍化、高齢化社会が進むなか、日本は、自己に最も有利な「普遍主義・国際主義」という新たな均衡点に向け、世界を引っ張っていくことが求められる。日本の政治には、国家戦略を議論する矜持《きょうじ》をもってほしいものだ。

牽制する五つの欧州勢力

皆さんはマーストリヒト条約という国際合意をご存じか。同条約により欧州連合（ユーロピアン・ユニオン、EU）が一九九三年十一月に創設された。その名は同条約が署名されたドイツ、ベルギーとの国境に近いオランダ南部マーストリヒト市に因《ちな》んでいる。あれから二十五年、EUは創設以来の危機に瀕しているのではないか。これが筆者の問題意識だ。

四月第一週にリトアニア、ロシア、オランダを訪れた。「ベルリンから東の欧州は空白だ」。出張中に会った欧州出身外交官がこう述べたことに筆者は衝撃を受けた。欧州とは要するに西欧のことであり、ドイツ以東の中欧・東欧諸国には西欧のごとき自由民主主義、市場経済、人権尊重などの伝統がない、と言い切ったに等しいからだ。

この外交官によれば、ソ連崩壊後にNATO（北大西洋条約機構）・EUの拡大を強く望んだのは東欧諸国であり、西欧大陸国はいずれも拡大に反対だったという。それにもかかわらず、英米両国はNATO・EUの東進を強く推進したため、大陸西欧諸国も最終的に受け入れたのだ、と彼はいうのだ。筆者はこれこそが西欧大陸人の本音だろうと素直に受け取った。

そう考えながら、オランダでロシアやリトアニアのことを思うとあらためて痛感する。オランダのような西欧から見るロシアと、リトアニアのような東欧から見るロシアは微妙だが確実に違うのだ。しかも、いまの欧州は西欧、東欧とロシアといった単純な分類ではなく、より複雑に細分化され、分裂しつつあるようにすら思える。筆者の見立ては次のとおりだ。

現在、欧州方面では次の五つの勢力が相互に牽制しつつ自国利益の最大化を図っている。

①政治体制は変わっても、普遍的価値や法の支配を尊重する気がなく、伝統的な帝国意識の消えないロシアと一部の周辺国
②ロシアの無言の脅威を二十四時間三百六十五日感じつつも、自由、民主主義などの普遍的価値を維持し、西欧に依存しようとする東欧諸国（例：バルト海三国）
③同じ脅威を感じながらも、必ずしも普遍的価値を尊重せず、排外主義的な「自由のない民主主義」などを標榜する一部の東欧諸国（例：ハンガリー、ポーランド）
④これらの東欧諸国とは距離を置きつつ、必要に応じてロシアとの間合いを計ろうとする大陸西欧諸国（例：ドイツ、フランス、イタリア）
⑤普遍的価値を標榜する点では大陸型西欧諸国と同じながら、ロシアの脅威をより重視し、大陸全体の均衡維持を画策する海洋型西欧諸国（例：イギリス、オランダ）

EUか、CUか

ここまで長々とEUの実態について書いてきたのには理由がある。欧州の人びとは、日本を含む東アジア地域の戦略環境を正確に理解できていないと思うからだ。その理由を明らかにするため、ここであえて筆者は「中華連合」（チャイニーズ・ユニオン、CU）という概念を用いて説明したい。

EUは総人口約五億人だが、加盟国数は二八カ国で、二四の公用語がある。これに対し、CUは人口一三億人だが、国家と公用語はそれぞれ一つだけだ。これらの違いは数字以上に大きい。このことは二〇〇二年、筆者が北京の日本大使館で広報担当だったときに気付かされた。当時、ある会合で英国メディア北京支局長と隣り合わせになったときの話である。

配偶者は中国人だという彼が「日本人にとって中国とはどのような国なのか」と聞いてきた。彼が英国人であることを確認したうえで、筆者は咄嗟《とっさ》に次のとおり説明した。

・貴方が住む島国の沖に大きな大陸があると想像してほしい。そこには一三億人の大陸欧州人が住んでいる。

・この一三億人のヨーロッパ人は二八カ国ではなく、ただ一つの国に住み、ただ一つの言語を喋っている。
・もしこの一三億人のヨーロッパ人が、たとえばナポレオンの支配下で全員フランス語を喋ったら、もしくはヒトラー支配下で全員ドイツ語を喋ったら、さらにはスターリンの独裁下で全員がロシア語を喋ったら、貴方はどう感じるだろうか、想像してみてほしい。
・それこそが日本人にとっての中国なのだ。

この支局長、一瞬絶句してから筆者にこういった。「なるほど、よーくわかったよ」と。欧州に出張するたびに自問することがある。なぜEUはいまもバラバラなのか、どうして国家統合はもちろん、言語の統一すら実現できないのか。これに対し、なぜ中国では一三億人もの国民が、たった一つの公用語しか喋らないのか。

中国は決して一つではない。そこには欧州大陸より広大な土地に、欧州以上に多種多様な諸民族が住んでいる。されど、中国ではCU（中華連合）が実現しつつあるのに、EU（欧州連合）は相変わらず「発展」途上だ。ポルトガル語とエストニア語の違いは、満洲語と四川語・広東語やチベット語・ウイグル語との違いよりずっと小さいではないか。

欧米研究者はよく「欧州の同質性」と「アジアの異質性」を比較するが、こうした手法は間違っている。筆者にいわせれば、いまの欧州のほうが中国よりもはるかに異質で多種多様だ。逆にいえば、いまの中国の同質性は権力による一時的で不自然な現象かもしれない。皆さんはＥＵとＣＵ、どちらの生き方をより人間らしいと思うか。筆者の答えは前者である。

「官僚自治」連合王国が崩壊し始めた

某有力月刊誌の「官僚劣化」と題する特集を読んで、違和感を覚えた。森友問題では公文書改竄《かいざん》、某事務次官はセクハラ疑惑。これまで立派だった大蔵省・財務省を頂点とする中央官僚組織が劣化し、国民の行政に対する信頼を裏切り始めたという含意なのだろうが、現実はそんなに単純ではない。これが官僚経験者でもある筆者の偽らざる実感だ。

要するに、大英帝国（正式名称は大ブリテン及び……連合王国）ならぬ、霞が関「官僚自治」連合王国がようやく崩壊し始めたということ。それは、従来の権力に関する日本式チェック・アンド・バランス機能だけでなく、統治プロセス自体までも変質させかねない危険を内包する。日本の官僚制度の現状に関する筆者の見立てを書こう。

一、大蔵・財務は「官僚の中の官僚」ではない

一九七三年の大学入学後、最も驚いたのは、周囲の多くの学生が「俺は某監督官庁に入って政治家をめざす」とか「某有力官庁で予算を担当してみたい」などと平然と話していたことだ。公僕としての心構えよりも権力欲優先か、と内心がっかりしたものだ。そもそも公務員試験合格者については、お勉強はできても、立派な人種だと思ったこと

はない。

そんな筆者も役人になったが、痛感したのが大蔵省・財務省スーパー官庁論という幻想だ。彼らは成績優秀だから強いのではない。予算と歳入と金融という国内経済上最も重要な三つの権限を握る「怪獣キングギドラ」だったから強いのだ。予算査定と税務調査と金融検査に抵抗するのは容易ではない。この点は金融庁が分離されたいまも同様だろう。

もう一点は、「主計局最強」神話を発明したのが非大蔵省官僚たちであることだ。個々の監督官庁は予算について政治家からさまざまな圧力を受ける。役人の常套句《じょうとうく》は「わが省は賛成なのですが、主計局が反対しています」、これで普通の政治家は引き下がる。「主計局」は官僚組織全体を不当な政治圧力から守る「黄門様の印籠《いんろう》」「免罪符」だったのだ。

二、日本には本来の意味の三権分立がない

日本国憲法上の三権分立は立法・行政・司法だが、現実は違う。日本では司法の果たす政治的役割が低く、一昔前は代わりに財界が入っていた。五五年体制全盛時代、日本では政界・官界・財界という三つの権力の三つ巴《どもえ》によるチェック・アンド・バランス機

能が働いていた。官は政に弱く、政は財に弱く、財は官に弱いという、じつに歪《いびつ》な権力均衡モデルだった。

この相互抑制システムからまず財界が脱落し、さらに「官僚主導から政治主導へ」の掛け声の下で政官関係も変質していった。官僚が政治家に代わって政治判断することを認めないのは当然だろう。しかしその後、政治家には、政治判断能力よりも、役人のように国会答弁できる能力が求められ始めた。このころから政治改革議論は脱線していった。

三、霞が関「官僚自治」連合王国の崩壊

官僚の本分は組織防衛と権限の維持拡大だ。霞が関とは、各官僚組織、すなわち事務次官を頂点とする複数の「自治王国」の連合体であり、その権限の根源は各省次官以下の高級官僚に対する人事権だった。逆にいえば、各省の次官から部下の人事権を剥奪すれば、官僚組織の自治王国は消滅する。これを必死で守ろうとしたのがいまの財務省なのだ。

人事権を剥奪したのは内閣人事局の設置であり、各省の自治王国はその瞬間に崩壊し

ていく。政治改革は過去数十年間に形を変えながら続いてきたが、内閣人事局はその集大成ともいえるだろう。政と官の関係は不可逆的に変化し、もう官僚自治王国は二度と戻ってこない。これがいま、現在進行形で起きていることである。

四、これから政官関係に何が起きるのか

以上の観点からいえば、現状は決してたんなる「官僚劣化」ではない。現状は、良きに付け悪しきに付け、過去数十年間に政官のあいだで戦われた死闘の最終的局面だ。一部の識者は現状について「強い官邸には強い独立機関が必要だ」というが、それは事実上、不可能だろう。官僚自治が崩壊したいま、新たな独立行政組織をつくることはきわめて難しいからだ。

より重要なことは、冒頭書いたとおり、権力に関する日本式チェック・アンド・バランスが機能不全に陥《おちい》り、日本国の統治プロセス自体までもが変質しかねない危険である。この種の状態が今後も相当程度続く場合には、いったい何が起きるだろうか。最後に、考えられる可能性を列挙してみよう。

いまこそ「政治任用者」の出番

第一は、自治権を失った官僚組織に優秀な人材が集まらない可能性だ。これはすでに現実となりつつある。噂によれば、わが母校でも、トップクラスの優秀な学生は公務員試験を受けなくなっていると聞く。彼らは司法試験に合格し外資系で高給を取るか、自ら起業することのほうに関心があるのだそうだ。これが事実であれば、隔世の感がある。

そうなれば第二に、全体として政策決定過程のレベルは低下していくかもしれない。低レベルの官僚たちと、相変わらず実務は知らないが官僚の人事権を握り始めた政治家たちが協同作業するからだ。いまこそ、政治家ではないが政治責任を負い、官僚ではないが実務に精通する「政治任用者」の出番だと思うのだが……、その機はいまだ熟していないようだ。

民間企業や諸外国との比較で考える

前項では、霞が関の国家公務員について辛口の巻頭言を書いてしまった。だからというわけではないが、本項では官僚組織の良い面を取り上げたい。

少なくとも国家安全保障政策に関するかぎり、官僚組織は進化を続けている。そもそも筆者が外務省に入った昭和五十三（一九七八）年当時、政治家と官僚と報道記者の関係はいまよりずっとおおらかだった気がする。

前に母校の同級生が、「俺は某監督官庁に入って政治家をめざす」とか「某有力官庁で予算を担当してみたい」などと話していた、とやや批判的に書いた。しかし、これも見方を変えれば、当時の優秀な学生の少なくとも一部が、安い給料にもかかわらず、中央官庁で国家・国民のために働きたいと真剣に考えていたことの証左かもしれない。

同じく大蔵・財務省＝官僚の中の官僚という幻想が他省官僚の創作だった、と書いた。しかし、これをもって財務・大蔵省員の（少なくとも官僚としての）能力を過小評価することは間違いだ。筆者の個人的経験でも、彼らのなかの最優秀の上位五％には、誰とはいわないが、官僚としても人間としても、ピカ一の器を備えた大物が多かった。

さらに、霞が関「官僚自治」連合王国が崩壊し始め、省内人事権に基づく自治を失った官僚組織に優秀な人材が集まらなくなった、とも書いた。だが、これもしょせんは比較の問題だ。誰だってある程度の記憶力と体力さえあれば、たいていの役所の仕事は熟《こな》せる。仮に民間企業の相手のほうがはるかに賢くても、役人には強力な組織と権限があるからだ。

続いて諸外国との比較を考えよう。昨今の日本のメディア報道を読むと日本の官僚はとんでもない輩《やから》ばかりのように思えるが、世界は広い。外務省時代に筆者が在勤した国は、米国を除けば、エジプト、イラク（二回）と中国だったが、残念ながら、これらの国々の国家公務員の多くは腐敗に塗《まみ》れており、清廉潔白《せいれんけっぱく》な国士を見付けるのは容易ではなかった。

どこの国とはいわないが、これらの高級官僚が賄賂《わいろ》や不正に厳格でないことは誰もが知っている。金さえ出せばあらゆる証明書が手に入り、多くの犯罪が見過ごされる。権力者に近い特権グループが利益を貪《むさぼ》り、一般庶民にとって官僚組織はじつに不透明で不公平な存在だ。それに比べれば、理財局の例があっても、日本の官僚は基本的に真面目である。

共同作業が常態化したNSC

続いて、本題である官僚組織の進化について書こう。前に述べたとおり、官僚の本分は組織防衛と権限の維持拡大であり、必然的に官僚の言動は無謬《むびゅう》とされる。官僚が自らつくった文書を改竄《かいざん》するとすれば、それは政治レベルの指示によるものとは限らない。むしろ、自らの無謬性を維持・正当化するために自発的に改竄する可能性のほうが高いのではないか。

国家安全保障政策の分野でも、こうした無謬性を維持するため、つい数年前まで世にも稀《まれ》な非合理で非効率な慣行がまかり通っていた。たとえば、朝鮮半島で大きな事件が発生したとしよう。一昔前は関係省庁の事務次官や幹部が相互に連携することなく、良くいえば個別に、悪くいえば混乱のなかで総理・官房長官に情報を上げ、必要な指示を仰いでいた。

具体的には、外務省は外務省出身の秘書官を通じ、防衛庁は警察出身の秘書官を通じ、それぞれ総理・官房長官に説明する。両者の内容が同一であれば、いずれか一方は不要であり、両者の内容が大きく異なれば、それ自体が国益を損《そこ》ねるだろう。さらに、内容よりもスピードが重視され、官僚は特ダネ記者と化す。驚くなかれ、これが実態だったのだ。

この驚くほど非効率な行政慣行は、徐々に改善されながらも、何と二〇一三年末まで続いた。ようやく国家安全保障会議（ＮＳＣ）が新設され、重要な外交安保政策に関わる国家安全保障事案と、自然災害など突発事項に関わる危機管理事案の棲み分けが進み、新規の国家安全保障局長と既存の内閣危機管理監の協力・相互乗り入れが可能となった。

以前なら関係省庁がバラバラに説明した内容も、いまは外務省や防衛省が総理・官房長官に説明する前に十分情報共有と政策連携を行なう。これが昔なら考えられない手順と速度で進むのだ。NSCと危機管理部門は二卵性双生児、総理官邸の裏にある同じ建物のなかで関係省庁出身者による共同作業が常態化している。これってけっこう驚くべきことなのだ。

最終責任を負うのは政治家である

NSCは設立からわずか五年で、それまでの外務・防衛両省の仕事のやり方を革命的に変えた。本稿執筆中に大阪で震度六弱の地震が発生し、大きな被害が出たが、これを官邸で仕切ったのは内閣危機管理監だろう。一九九五年の阪神・淡路大震災の際、当時の内閣は機能不全に陥《おちい》った。霞が関には教訓を生かしながら進化する官僚組織も少なくないのだ。

トップクラスの優秀な学生が国家公務員をめざさなくなって久しいが、高級官僚の大多数はいまも国民のため、重要な仕事に日夜、黙々と取り組んでいる。マスコミによる官僚バッシングは容易《たやす》いが、それで政治が良くなるわけではない。要は、いかに官僚を使いこなして国民生活を豊かにするかだが、この最終責任を負うのは公務員ではなく、政治家なのである。

第三章

「一発屋興行師」だったトランプ

冷戦時代にはありえなかったお粗末な振る舞い

二〇一八年七月十〜十六日の欧州歴訪で、トランプ氏は世界を驚愕《きょうがく》させた。ブリュッセルでNATO（北大西洋条約機構）年次首脳会議直前に北大西洋同盟の要《かなめ》であるドイツの首相を辱《はずかし》め、イギリスでは反トランプデモの嵐が吹き荒れるロンドンを意図的に回避し、フィンランドで米露首脳会談で多くの欧州同盟国首脳を当惑させたのは、ほかならぬトランプ氏自身だったのだから。

最大の批判は、二〇一六年大統領選挙へのロシア介入という米情報機関の分析・判断をトランプ氏が無視し、公の場でプーチン氏に十分抗議しなかったことだ。今回ほど米国の現職大統領の振る舞いがお粗末に見えたことは記憶にない。もちろん、冷戦時代にはありえなかったことだ。いまや欧米エリート層のやり切れない気持ちが急速に拡大しつつあるらしい。

たしかに、欧州での彼の言動は信じ難いものが多かった。とくに米露首脳会談でのパフォーマンスは異様ですらあった。米国大統領がプーチンの軍門に下ったという意味では歴史的失敗であり、きわめて不名誉で、反逆的行動ですらあった、などと欧米主要メディアは異口同音に報じた。日本でも一部識者が無批判のまま、この種の報道に同調している。

かかる状況を踏まえ現在、米国内はもちろん、米国の多くの同盟国内でトランプ氏の米国

米露首脳会談（2018年フィンランド、写真提供：SPUTNIK／時事通信フォト）

大統領と西側陣営のリーダーとしての資質に関し、深刻な疑問が広がっている。日本でもトランプ氏は、同盟国を軽視して「世界秩序を大混乱させ」、勝者のない貿易戦争を「中国に対し仕掛け」た張本人として、否定的に論じられている。

世界の混乱はトランプが原因だったか

たしかに、トランプ氏が北米・欧州同盟の機能維持にほとんど関心を有していないことは誰の目にも明らかとなった。トランプ氏の米国は、これまで欧州主要国指導者が慣れ親しんできた「時に傲慢ながら、普遍的価値では妥協しない頼もしい」米国ではない。彼らの恐れが無情にも的中したことは事実だろう。しかし、ちょっと待ってほしい。

筆者の見立ては違う。現下の世界的混乱は、特定個人の資質の問題にすぎないのか。米国政府だけの問題なのか。さらには、世界経済・貿易やＮＡＴＯの国防費負担だけの問題なのか。われわれがいま問うべきはこれらの疑問だ。米国と欧州・中国の確執ばかりが注目されるなか、われわれ日本人は以下のとおり、より戦略的見地から問題の本質を見極める必要がある。

1、混乱はトランプ個人の問題か

二〇一六年の大統領選挙戦前から、トランプ氏の直情的性格は誇大性・賛美を求める欲求・特権意識が強く、自己を最重視し、業績を誇張し、不相応の賞賛を求める、米精神医学用語でいう「ＮＰＤ（自己愛性パーソナリティ障害）」が原因だと一部で指摘されていた。しかし、これだけでトランプ氏の現在の言動を説明することはできない。

2、米国だけの問題なのか

トランプ氏のような人種差別的、排外主義的、内向的な自国第一主義は米国だけの専売特許ではない。現在、欧州、中東、アジアでも同様の傾向が拡大している。しかも、こうした米国外での現象は、もちろんトランプ氏が起こしたものではない。トランプ現象はこうした世界規模で起きつつある政治現象の一側面にすぎない、と見るべきである。

3、トランプは原因ではなく結果にすぎないのではないか

されば、現在の世界の混乱もトランプ氏が始めたものではない。むしろトランプ氏は現在、世界的規模で起きつつある人種差別的、排外主義的、内向的な自国第一主義の台頭という混乱のなかで、彼の支持者が米国の国益と考える行動を実行しているにすぎないのかもしれない。現状は、トランプ氏の個人的資質の有無とは無関係に悪化しうるのだ。

4、世界の混乱と変化の本質的原因は何か

京都大学の柴山桂太准教授は、人間社会では自由化・グローバル化の波とこれによる不利益を意識する波が過去に何度も起きており、現状は、主権国家がグローバル化の弊害から国民を守るべく本来あるべき姿に戻りつつある流れの一部だと喝破《かっぱ》する。至言だ。トランプ氏などのポピュリズムはグローバル化弊害の民主制下での是正現象なのかもしれない。

5、日本は何をすべきか

トランプ氏の米国はもはや、現状維持勢力ではない。現状破壊勢力とはいわないが、これまで欧米エリート層が育《はぐく》んできた「自由で開かれた国際・国内秩序」を忌《い》み嫌うことは間違いない。ある意味でトランプ現象は、世界的規模で進行しつつある行きすぎたグローバル化の反動現象の一部であり、部分的には中露の発想にも通ずる危険を内包している。

このような危機的状況が続くなかで、日本がいま考えるべきことは次の諸点である。

①現状は過渡期にすぎず、混乱は今後も（仮にトランプ氏が失脚しても）続くこと
②グローバル化弊害是正活動は経済貿易面だけでなく安全保障政策にも及ぶこと
③一九四五年以降につくられた国際政治・経済・軍事の枠組みが変質を始めたこと
④一九六〇年以降つくられた日本の安全保障政策を見直す時期が近づいていること

次項ではこれらの諸点につき、より詳しく検証する。

「一発屋興行師」トランプ

トランプ政権外交・安全保障チームの惨状と今後、日本が直面する課題に触れた。その続きを書こう、と地下鉄内で構想を練っていたら、『一発屋芸人列伝』という書籍の広告が目に入った。「なるほど、トランプを一発屋芸人と考えれば謎は解ける！」というわけで、本項でもトランプ氏の話から始めたい。

まずは「一発屋」の英訳から。和英辞書には「one-hit wonder」とあるが、これは歌手などに使われることが多く、トランプ氏の場合は「flash in the pan」のほうが相応《ふさわ》しい。ちなみに「flash」は閃光《せんこう》、「pan」は火打ち銃の火皿を意味する古い表現だが、十九世紀ゴールドラッシュ時代のカリフォルニアでは「鍋の中の砂金」という意味でも使われたようだ。

たしかにトランプ氏は「一発屋芸人」ならぬ「一発屋興行師」に終わるのかもしれない。だが、先ほど述べたとおり、事の本質はトランプ氏個人の問題ではなく、米国だけの問題でもない。トランプ現象は混乱の「原因」ではなく、たんなる「症状」にすぎない。いまや「主権国家」がグローバル化の弊害から国民を守るべく復権を果たしつつあると見るべきだ。

もし専門家が声を上げなかったら

こうして普通の「主権国家」に戻りつつある米国が「グローバル・リーダーシップ」を軽んじ始めている。トランプ氏の下で米政府の外交安保チームが迷走を始めてからすでに十八カ月経過した。状況はますます混迷を深めているようにすら見える。これまでの大きな流れを時系列で振り返れば、その原因は明明白白、トランプ氏自身の関心のなさだ。

1、フリン国家安全保障（NSC）担当大統領補佐官の辞任とマクマスター補佐官の就任

もともとフリン補佐官の事務処理能力を疑問視する向きは少なくなかったが、案の定、同補佐官は就任前にロシア駐米大使とロシア制裁問題を話し合った疑惑で一カ月ももたず二〇一七年二月十三日に辞任、後任には現役軍人のマクマスター陸軍中将が任命された。

2、ケリー大統領首席補佐官の就任とバノン首席戦略官の辞任

同年七月末、プリーバス首席補佐官の辞任を受け、ケリー元海兵隊大将が国土安全保障長官から首席補佐官に横滑りし、その後八月十八日、米国第一主義を唱え、海外の諸

問題への介入を否定するなど外交安保政策の混乱を招いたバノン首席戦略官が辞任を発表した。

この時点では、首席補佐官、NSC担当補佐官、国防長官がすべて現役または元軍人となり、それまでトランプ政権の外交安保政策に振り回されていた同盟国関係者から安堵の声が聞かれるようになった。ところが、そうは問屋が卸《おろ》さないのがトランプ政権だ。

3、コーン経済安全保障会議（NEC）委員長の辞任とナヴァロの台頭
二〇一八年三月八日、穏健派のコーンNEC委員長が鉄鋼・アルミニウム追加関税措置に反対して辞任し、対中貿易問題の強硬派であるナヴァロ通商製造業政策局長の発言力拡大とも相まって、本格的な対中強硬措置が導入されるようになった。

4、ティラーソン国務長官の辞任とポンペイオ長官の就任
同年四月二十六日、前月十三日に解任されたティラーソン長官に代わり、保守派の元下院議員でCIA長官だったポンペイオ氏が国務長官に横滑りし、自ら平壌を訪問するなど現在、第一線で対北朝鮮外交を取り仕切っている。

5、マクマスター国家安全保障担当補佐官の辞任とボルトン補佐官の就任

同年三月二十二日、トランプ氏はマクマスター補佐官の辞任同意をツイートし、四月九日には共和党保守強硬派のボルトン元国連大使を後任に任命した。トランプ政権の外交安全保障チームは様変わりし、トランプ氏好みの保守強硬派が主導権を握るようになった。だが、これでトランプ政権の外交安保政策が安定すると見るのは時期尚早《しょうそう》だ。

トランプ氏はいまも「自分第一」、中間選挙を念頭に、内政・支持率を最優先する姿勢をまったく変えていない。現在の国務長官、NSC担当補佐官、国防長官は、意見の相違はあるものの、外交専門家としていずれも一家言ある大物ばかりだが、その彼らがいまやトランプ氏の驚くべき衝動的判断に黙々と従っている。一昔前なら考えられない事態だ。

トランプ氏は「米国の大統領職にもう慣れた」と自信を深めているようだが、彼のやることなすことが同盟国を懸念させる一方、中露を高笑いさせている。上記三人の高官がトランプ氏の判断を無批判に受け入れているとはとうてい思えない。それでも三人は大統領に意見する矜持《きょうじ》はなさそうだ。やはり彼らは何かを恐れているのだろうか。

だが、彼ら三人以下政権内の専門家が声を上げなかったら、米国外交・安保政策はいずれ誤った方向に動き始め、後戻りできなくなるだろう。そうなってはもう遅いのだ。他方、そうした声を上げる勇気ある高官は次に解任されてしまうかもしれない。どうやら、米国外交の大混乱は今後もとうぶん続くと覚悟したほうがよさそうだ。このような危機的状況が続くなかで、日本がいま考えるべきことは次の諸点である。

①一九四五年以降につくられた国際政治・経済・軍事の枠組みが変質を始めたこと
②一九五三年の朝鮮戦争休戦協定がもたらした東アジア安定の枠組みが変化しつつあること
③一九六〇年以降つくられた日本の安全保障政策を見直す時期が近付いていること

次項では、これらの問題をじっくり取り上げることにしよう。

人の心はグローバル化できない

前項と前々項で、トランプ政権の誕生とその混乱、さらにはそれに伴う国際情勢、とくに東アジアの安全保障環境の激変の可能性について触れてきた。その上で、このような危機的状況が続くなか、いま日本と日本人がもつべき関心と方策について考えたい。

筆者の問題意識はこうだ。①一九四五年以降につくられた国際政治・経済・軍事の枠組みが変質を始めたのではないか、とくに、②一九五三年の朝鮮戦争休戦協定がもたらした東アジア安定の枠組みが変化しつつあるのではないか、されば、③一九六〇年以降つくられた日本の安全保障政策を見直す時期が近づいているのではないか、という三つの仮説である。

一九四五年以前の世界はこうだった。ナショナリズムとポピュリズムが吹き荒れ、世界経済が保護主義的ブロック経済化していくなかで、一部の国々が国際政治の現状を不正義と捉え、自らの政治的・軍事的自己主張を強め、他国への圧力や干渉を強めていった。残念ながら、最終的にわれわれは二度目の世界大戦を回避できなかった。

こうした反省を踏まえ、戦後は自由で開かれた国際秩序の再建設に多くの資源が投入された。民族主義や大衆迎合主義ではなく、グローバルで効率的な分業を可能とする自由貿易体制を再建すべく、国際連合、世界銀行、国際通貨基金をはじめとする多くの国際機関がつくられた。こうした新たな国際秩序は米国主導でつくられ、一定の成果を収めた。

一九八〇年代末に東西冷戦が終わり、ソ連は崩壊した。多くの識者が「歴史の終わり」や「フラットな世界」を論じ始め、九〇年代にはポスト・モダン（脱近代主義）がもて囃《はや》された。あの論陣を張った人びとはいまどこへ行ったのだろう。技術革新により経済のグローバル化は容易となったが、人の心は容易にグローバル化しない、いや、できないのだ。

冷戦終了後の二十年間に世界は再び変わり始めた。グローバル化という名の新たな弱肉強食型資本主義に取り残された人びとは、ごく少数の勝ち組と夥《おびただ》しい数の負け組しか生まない現在のシステムに疑問をもち始めた。国際主義に代わり自国第一主義が、普遍主義に代わり排外主義や差別主義が再び台頭し始めた。トランプ現象は原因ではなく、結果なのだ。

漂流を始めた人類

こうしてわれわれは一九四五年に出来上がった歴史的均衡点から逸脱し始め、次の均衡点に到達するまでのあいだ、漂流を始めたのかもしれない。次なる均衡点はやはり民族主義と閉鎖的経済体制となるのか。それとも紆余曲折を経て再び自由、民主、法の支配に代表される開かれた国際秩序に回帰していくのか。これは人類の本質に関わる大問題である。

このような傾向は東アジアでも進んでいる。一九五〇年に始まった朝鮮戦争は五三年にようやく休戦協定が結ばれた。半島の分断は固定化されたが、これによって生まれた政治的、軍事的安定は、第二次大戦後の日本経済の復興、一九七〇年代韓国の「漢江《ハンガン》の奇跡」だけでなく、八〇年代中国の改革開放をも可能にした。筆者はこれを一九五三年体制と呼ぶ。

「北朝鮮の非核化プロセスはトランプ氏の頭の中だけ」

二〇一八年六月十二日に行なわれた米朝首脳会談により、東アジアの平和と繁栄の基礎を提供してきたこの一九五三年体制が揺らぎ始めた。いや、すでに制度疲労を起こしていたシステムの劣化が、シンガポールでの首脳会談でいっそう加速されたというべきかもしれない。トランプ氏は北朝鮮の非核化を進めないまま、金正恩《キムジョンウン》に必要以上の国際的認知を与えたからだ。

外交安保の本質と実務に関するトランプ氏の無知・無関心は想像を絶する。ある米国の識者は「北朝鮮の非核化プロセスは崩壊しない、なぜなら、それはトランプ氏の頭の中にだけ存在するからだ」と喝破《かっぱ》していたが、筆者はこれ以上的確な現状分析をほかに知らない。

同年六月十二日以降、日に日に明らかになりつつあることが二つある。第一は、北朝鮮の非核化がおそらく実現しそうにないこと。第二は、この問題を解決するための軍事的選択肢がなくなりつつある、ということだ。

仮に将来、この一九五三年体制が劣化していくとすれば、それが日本の安全保障政策に及ぼす負の影響は計りしれない。悪夢は今後米朝首脳会談が複数回開かれ、トランプ氏お得意の衝動的決断により朝鮮戦争の終結宣言や平和条約が議論され始めれば、それは取りも直さず、在韓米軍駐留の正統性そのものを否定することに繋がるからだ。

日本の自衛隊創設は休戦協定署名翌年の一九五四年。その六年後に日米安全保障条約が改定されている。要するに現行の日米安保条約体制は、核兵器を保有しない北朝鮮を通常兵器で抑止することが前提の一九五三年体制に大きく依存してきたのだ。もし筆者の仮説が正しければ、近い将来、日本の安保政策は根本的見直しを迫られるだろう。

ポスト一九五三年体制の東アジア

前項では、朝鮮戦争の休戦協定による「一九五三年体制」がもたらした地域の戦略的安定が劣化し始める可能性に言及した。それが日本の安全保障政策に及ぼす負の影響は計りしれない、とも書いた。今後万一、米朝首脳レベルで朝鮮戦争の終結宣言や平和条約が具体的に議論され始めれば、同体制の「終わり」は静かに、しかし確実に始まる。

一九五三年体制の本質は、非核の北朝鮮の通常兵器による武力攻撃を、同じく非核の韓国と、比較的低レベルの「拡大抑止（いわゆる核の傘）」を提供する米国からなる米韓同盟が抑止することだった。朝鮮戦争終結宣言は、朝鮮国連軍や在韓米軍駐留の正統性そのものを変質させ、東アジアにおける米軍の前方展開のあり方自体を変えるかもしれない。

日本の自衛隊創設は休戦協定署名翌年の一九五四年。その六年後に日米安全保障条約が改定されている。されば、現行の日米安保条約体制の大前提は、核兵器を保有しない北朝鮮を抑止する一九五三年体制ではないのか。もしこの仮説が正しければ、今後の日本の国家安全保障政策はどうあるべきなのか。以下はあくまで筆者個人の頭の体操である。

1、在韓米軍はどうなるのか

朝鮮戦争の終結宣言は、法的にも実体的にも、在韓米軍のあり方に関する見直し作業を加速させる可能性が高い。法的には、休戦協定の署名者である朝鮮国連軍と北朝鮮の人民軍が中心となって戦争状態の法的終了を確定する必要がある。問題は同協定に署名した中国義勇軍だが、同軍は中国の正規軍ではないため、取り扱いが難しいかもしれない。

一方、実体面で最も重要な論点は在韓米軍の取り扱いだ。朝鮮国連軍が法的に消滅しても、米韓安保条約に基づき駐留する在韓米軍の法的地位は変わらない。いま在韓米軍には、陸軍の第八軍が二万人、空軍の第七空軍が八〇〇〇人、海軍第七艦隊の韓国派遣部隊三〇〇人など総勢三万人弱の兵力があるが、その将来は主として米韓関係に依存する。

米国防総省は、戦争終結宣言にもかかわらず、在韓米軍を維持しようとするだろうが、トランプ政権がある程度の削減ないし再編成を検討する可能性は十分ある。これに対し、中露・北朝鮮は在韓米軍の大幅削減を働きかけるに違いない。バランス感覚に長《た》けた韓国は、北朝鮮との緊張緩和を追求しつつも、同時に米国の抑止力維持を望む可能性もある。

2、在日米軍はどうなるのか

韓国のこうした二股外交がどの程度奏功《そうこう》するかは不明だが、一度在韓米軍の再編成に関する議論が始まれば、米国は在韓米軍と在日米軍、グアム駐留部隊等を含む東アジアの米軍前方展開のあり方全体に関する見直しを始めるだろう。その際、北朝鮮や中露は東アジアにおける米軍プレゼンスの縮小に向けたさまざまな働きかけをいっそう強化するに違いない。

当然、日本は米国などとの協議を深める必要がある。在韓米軍や在日米軍のあり方については、東アジア地域に対する将来の脅威認識、とくに、中国の朝鮮半島周辺、東シナ海、南シナ海などにおける軍事態勢の動向にも十分留意した上で、日米の役割分担、統合戦遂行能力を含む日米同盟の新体制を考える必要があろう。

3、米国の核による拡大抑止はどうなるのか

最大の問題は「核抑止」だ。すでに述べたとおり、一九五三年体制の前提は核兵器を持たない北朝鮮だった。しかし二〇一八年六月以降、北朝鮮がＣＶＩＤ（完全かつ検証可能で不可逆的な非核化）を容易には実施しそうもない見通しが深まっている。この問題解決のため、米国には軍事的選択肢がなくなる可能性もますます現実味を帯びつつある。

要するにいまや北朝鮮の核保有が「不可逆的」となるなか、米国は北朝鮮に軍事力を含む「最大限の圧力」をかけるタイミングを失いつつあるのだろう。言い換えれば、東

アジアもようやく、一九八〇年代の欧州と同様、敵性国家が配備する中距離弾道核ミサイルの脅威に対し、新たな核抑止政策を採用すべきか議論する時期に入ったということだ。

4、日本の非核三原則はどうなるのか

一九八〇年代のＮＡＴＯ（北大西洋条約機構）諸国最大の懸念は、デカプリング問題、すなわち、ドイツ、イタリアの如き核兵器を持たない同盟国に対するソ連の中距離核ミサイルの脅威を前に、「米国は同盟国を守るためワシントンやニューヨークを犠牲にする用意があるのか」だった。これに対するＮＡＴＯの回答が、いわゆる「ニュークリア・シェアリング（核兵器の共有）」だ。ニュークリア・シェアリングとは、ＮＡＴＯが核兵器を行使する際、独自の核兵器を持たない加盟国が使用計画に参加すること。具体的には、ソ連に配備された核兵器を抑止するためドイツ、イタリア、ベルギー、オランダが自国内に米国の核兵器を配備し、各国政府がそれぞれ当該核兵器の使用権限を持つという核抑止手段である。

北朝鮮が核保有国となりつつあるいま、日本の核抑止に関する政策は従来のままで良

いのか。これまで日本が維持してきた非核三原則は引き続き有効なのか。米国の核兵器配備が無理であれば、せめてＳＬＢＭ（潜水艦発射弾道ミサイル）を搭載した原子力潜水艦の日本への寄港ぐらいは認めるべきではないか。

クルド人たちを見捨てたトランプ政権

驚くべき事件が起きた。二〇一九年十月七日、シリア北東部に駐留していた米軍部隊がついに撤退を開始したことだ。その前夜には米国とトルコの大統領が電話で会談した。どうやら米軍撤退開始はこの首脳会談がきっかけらしい。

ドナルド・トランプとレジェップ・タイイップ・エルドアン、この個性豊かな二人の政治家は電話でいったい何を話したのだろう。詳細はいまだ明らかではない。しかし、筆者の推測を申し上げれば、米側はトルコに対し「シリア駐留米軍部隊撤退後も米国が支援するシリア・クルド勢力を攻撃しない」よう要請し、トルコ側も「民間人、キリスト教徒を含む宗教少数派に対し人道的危機は起こさない」と応じた可能性がある。

トランプ氏はこれでトルコがシリア・クルド勢力を攻撃しない、とでも直感したのか。それとも何が起きても、シリアでの「終わりのない戦争」に終止符を打ちたかったのか。真相はよくわからない。いずれにせよ、翌日トランプ氏はその驚くべき決断をツイッターで全世界に発表する。トランプ政権外交安保チームは驚愕《きょうがく》したに違いない。彼らは終始、シリアからの撤退に強く反対してきたはずだからだ。

同年十月中旬、日米同盟について話す会合が都内であった。当初は日米関係の緊密さと安保条約の重要さに簡単に触れるつもりでいたが、十月九日にトルコ軍がシリア北部に侵入しシリア・クルド勢力に対する掃討《そうとう》作戦を始めるに至り、筆者は考えを変えた。これまでもトランプ政権の外交姿勢には批判的だったが、「今度ばかりは到底看過《かんか》しえない、言うべきことを言わなければ」と腹を決めたのだ。

わずか五分間の筆者のプレゼンの要旨は次のとおりだ。

北シリアのクルド民族主義者たちは米国を支持し、命を賭《と》してＩＳ（イスラム国）と戦ってきた。かくも勇敢なクルド系戦士がいなければ、二〇一八年末の米国によるＩＳ殲滅《せんめつ》宣言など不可能だったろう。その意味で彼らは事実上米国の同盟者だった。そのクルド人たちをトランプ政権は事実上見捨てたに等しいではないか。これほど同盟国を粗末《そまつ》にする米国政府は過去に記憶がない。驚くべき事態である。

歴史は繰り返さないが、往々にして韻《いん》を踏む。いまの世界は、一九三〇年代と同様、国際情勢の不確実性が高まっている。各国の政治家が「勢いと偶然と判断ミス」に基づく誤った政治判断を繰り返し、結果的にこれまで当たり前と考えてきた政治、軍事、経済的常識が覆《くつがえ》っていく時代に再び戻りつつあることを懸念する。そうなれば、日米同盟を「当然視」できなくなる可能性も考える必要があるかもしれない。

米国の裏切りが起きる可能性

ちょっと言いすぎたかなと反省しつつも、以上の論点を簡単に『ジャパンタイムズ』紙の英語のコラムに纏《まと》めた。そうしたら今朝《けさ》、早速米国の古い友人から反応があった。「ブラボー」と題されたそのメールには「よく言った！　君のコラムは、米国のあの不名誉な決断がつくり出した恐怖と、それがもつより広範な政策的意味合いについて、じつに核心を突いた説明を行なっている」とあった。

さらに、筆者が深く信頼するその米国の友人は「トランプ政権が終わらなければならない理由は数多くあるが、今回の事件はその最新版である」とも言った。原文はこうだ。「Well done! You hit the nail on the head in describing the fears generated by this disgraceful decision and its broader policy implications. There are many reasons why Trump' s presidency needs to end. This is just the latest.」。有難いことだ。

それだけではない。米国からのメールの直後に、今度は都内の会合に来てくれた日本人のある先輩からメールを頂いた。曰く、「今回は貴兄の指摘が最も心に突き刺さった。シリアから米軍を撤退させることが地域に及ぼす影響の大きさと、同盟という仕組みの危《あや》うさを思い知った。トランプ大統領の危うさと、それを支えるアメリカという国家の脆弱《ぜいじゃく》化が現実世界の大きな懸念事項であることを再認識した」。

さらにその先輩は、「今朝は民主党大統領候補の討論会が行なわれるようだが、民主党候補の主張を聞いていても、これまでのように米国が世界のリーダーとして先頭に立つといった姿勢は何処にも見られないのが現実であろう……」。いずれも日米安保問題に深く関わった日本と米国の二人の旧友が口を揃えて筆者の懸念を共有している。このことに安堵《あんど》すると同時に、底知れぬ恐怖をも感じはじめた。

トランプ氏の決定がトルコのシリア・クルド掃討作戦を誘発し、結果的にクルドだけでなく、世界中の米国の同盟国に対し「米国は信頼できない」とのメッセージを送ったことは間違いない。されど日米関係は、他の同盟国と比べれば、奇跡的に良好であり、日本ではこの事態の深刻さを重く受け止める向きがあまり多くないかもしれない。

しかし、「勢いと偶然と判断ミス」が支配する「新常態」の下では、このような「同盟国米国の裏切り」が再び世界のどこかで起きる可能性がある。次はアフガニスタン、湾岸アラブ諸国かもしれないし、それは東欧の新NATOメンバー、韓国なのかもしれない。日米安保同盟を当然視せず、しかも、それを健全に保つための努力を怠《おこた》らない知恵がこれまで以上に必要になってきている。

第四章

失われる地政学的優位

戦略論の「師」たち

毎年この時期になると、今年こそはより質の高い評論を書けるようになりたい、と願を掛ける。されど、年末になっても、筆は思うように進んでくれない。これでは駄目だと、過去十数年間、東南アジアや中欧・東欧などを回っては、外務省時代に専門外だった地域の情報を増やしてきた（つもりだ）。それでも、知識だけでは質の向上に結び付かない。

何が足りないのだろう。じつはこの原稿をワシントンの定宿で書いているのだが、ようやくその答えがわかってきた気がする。出発前、日本では「北朝鮮は近く核ミサイル実験を強行」「二〇一八年二月にも米朝軍事衝突は不可避」といった「オオカミ少年」的報道が躍っていた。だが、ここワシントンでそんな煽情《せんじょう》的な話が報じられることは稀《まれ》だ。

欧州、中東、アジアの三方面で米軍が現実に前方展開しているからだろうか。米国の論調は「米国による軍事行動の難しさ」を前提とした、より冷静なものが多い。筆者にとって「より質の高い評論」とは、このように、時々の権力者や世論・流行に左右されず、国際情勢をより普遍的、戦略的な視点から、可能な限り客観的に分析することである。

「戦略的な視点の持ち方」については名著が二冊ある。第一は、外務省の先輩である岡崎久彦・元駐タイ大使が一九八三年に書いた『戦略的思考とは何か』（中公新書）、読んで字の如《ごと》しの表題だ。日本の大戦略は、アングロ・サクソンとの協調の下、スラブ（ロシア、ソ連）の伝統的・地政学的動きを阻止しつつ、原油輸入のシーレーンを防衛することだと説いた。

第二の名著は、米国在住の戦略思想家、ルトワック博士による『エドワード・ルトワックの戦略論』（毎日新聞社）だ。「平和を欲すれば戦争に備えよ」など、戦略に普遍的に作用する「逆説的論理」を明快に説くルトワック博士の卓越した洞察力は、つねに一聴に値する。先ほども自宅にお邪魔してきたが、七十七歳になったいまも各国から戦略分析を求められ、文字どおり世界を飛び回っているらしい。

エドワード・ルトワック博士
（写真提供：SPUTNIK／時事通信フォト）

岡崎大使とは、筆者が一九八一年にワシントンでお会いしたのが最初だ。大使は、当時研修生でしかなかった筆者に知的な刺激を与えてくれた。ある日、「戦略論を勉強したいのですが」と聞いた筆者に、「それは歴史を勉強することだよ」と諭《さと》してくれたことは、いまも鮮明に覚えている。筆者にとって戦略論の最初の「師」は岡崎大使だったといってよい。

その後、バグダッド、本省、ワシントン、本省、北京、バグダッド、本省と場所は異なったが、つねに枝葉末節《しようまつせつ》の実務に振り回された。縦割りの官僚社会のなかで、いつしか「戦略論」の夢は消えた。担当する業務や地域のことを十分勉強する機会すら失われていった。筆者が本格的に「戦略論」を研究したいと思ったのは、二〇〇五年、外務省退職後のことだ。

ちょうどその頃、偶然出会ったのがルトワック博士だ。彼の戦略に関する視点も独特だった。イスラエル軍従軍から米国防総省での分析まで、その実戦経験と歴史の学術的分析に基づくさまざまな格言は筆者を魅了した。すでにこの世界では長老となりつつあるが、筆者にとってルトワック博士は、第二の、そしておそらくは最後の、戦略論の「師」である。

戦略的思考の三カ条

それでは「戦略的思考」とは何なのか。戦略論に複雑な理論は不要。筆者にとって戦略的思考とは「軍事用語で歴史を語る努力」のこと。これこそ、筆者が岡崎大使とルトワック博士から学んだことだ。といっても、これだけではわかりにくいだろう。以下は筆者が戦略的思考を試みる際、つねに心掛けている三カ条だ。読者諸氏の参考になれば幸いである。

①戦略的思考の基本は歴史の普遍的な理解

歴史は繰り返さないが、韻を踏む。すなわち、個別の事象には一定の共通点があるが、決して同じ事象が再発するとは限らない。歴史の正確な理解には個々の事象に共通する普遍的真理を見抜く力が必要である。この点で筆者は、岡崎大使の「アングロ・サクソン」論に懐疑的だ。歴史上、特定の人種的集団との協調がつねに有利とは限らないからである。

②すべての軍事・兵器オタクが戦略思想家とは限らない

軍事力の本質はその「組織としての使い方」であり、個々の兵器システムの性能・諸元がすべてではない。軍人のなかには少なからず潜在的な「戦略思想家」がいるだろうが、すべての軍人が優秀な戦略思想家とは限らない。ましてや、軍事・兵器オタクはなおさらだ。

③戦略とは敵と味方、勝利と敗北に関する決断である

筆者の戦略論は簡単だ。敵を一つに絞り、複数の敵には優先順位を付けること。絞った敵に関し、最も適切な同盟国を選ぶこと。負ける戦争は絶対に戦わないこと。勝てる戦争のみを、可能な限り戦わずして勝つこと。この四点に尽きる。これらにつき、当該敵に関

する歴史と地政学的傾向など関連情報を詳細に分析しながら、最も正しい方針を立案することこそが真の戦略的思考である。

時々の権力者や世論・流行に左右されず、国際情勢をより普遍的、戦略的な視点から眺め、可能な限り客観的な分析を加える「質の高い評論」が求められる。

欧州の海なき国から見た日本

この原稿は、南欧のプリシュティナというまちで書いている。プリシュティナと聞いても知る人は少ないだろうが、ここはコソボ共和国の首都、前から訪れてみたかった国の一つだ。コソボは旧ユーゴスラビアの一部、同国がセルビア共和国から「独立」を宣言したのは一九九〇年、日本では中東の湾岸戦争で大騒ぎしていたころである。

バルカン半島中部のコソボ共和国は人口約一八〇万人、面積約一万平方キロで、日本の岐阜県とほぼ同じサイズだ。また、ウィーンからコソボまでの空路一時間四十分はちょうど羽田から宇部空港に相当する。その間、日本ではどこまで飛んでも日本国内だが、この地域では旧ユーゴスラビアを構成したボスニア・ヘルツェゴビナ、モンテネグロを含む六つもの独立共和国が軒を並べるのだから恐れ入る。

コソボの地政学的特徴は日本とまるで正反対だ。北東にセルビア、南東は北マケドニア、南西にアルバニア、北西でモンテネグロとそれぞれ接するコソボは、悲しいかな、海への出口をもたない。歴史的にも、キリスト教の欧州とイスラム教の中東が交錯する最前線にある重要な地域だ。陸の国境をもたない日本人にとっては未知の世界。何か教訓を学べるのでは、と思い立ったのが今回の出張である。

国際法上の地位が確定しないまま現在に至る

　まずはコソボの歴史を概観しよう。六世紀以降スラブ人とブルガール人が相次いで侵入、七世紀末にはブルガリア帝国の支配下に入る。十三世紀にはセルビア人が台頭してセルビア王国を建国、その後オスマン帝国がバルカン半島に侵入し、コソボは激戦の地となる。セルビア人は四万のオスマン兵と激しく戦ったが、結局はオスマン帝国に敗北、以後五百年間、バルカン諸民族は自らの国家をもてなかった。

　十七〜十八世紀、セルビア正教徒のコソボ移住に対抗しオスマン帝国がアルバニア人ムスリムをコソボに入植させたこともあり、一九一二年のアルバニア独立後コソボは同国に編入された。ところが翌年の国境画定では逆にセルビア王国に組み込まれてしまう。ユーゴスラビア時代、セルビアの自治州だったコソボはソ連邦崩壊後の一九九一年、ついに「独立」を達成するのだが、話はこれで終わらない。

　その後もセルビアとアルバニア・コソボの対立は続き、セルビア人を主体とするユーゴスラビア軍はコソボ解放軍によるコソボ独立を阻止すべく大規模なゲリラ掃討《そうとう》作戦を開始する。こうして始まったコソボ紛争は一九九九年三月のＮＡＴＯ（北大西洋条約機構）軍によるセルビア空爆などを経て翌年にようやく終息。二〇〇八年にはコソボ議会が独立を宣言したが、その国際法上の地位が確定しないまま現在に至っている。

バルカン半島に比べれば東アジアは単純

コソボでは多くの識者と話すことができた。彼らの最大関心事はコソボの「国家承認」だ。現在全世界で日米英独仏を含む一〇〇カ国以上がコソボを国家承認しているが、逆に言えば、いまも中露、スペイン、ギリシャを含む八〇カ国以上が承認を拒否しているのが現実だ。国内に少数民族の独立問題を抱える国にとって、コソボを国家承認することは自己矛盾なのだろう。

当地で詳しい話を聞けば聞くほど、オスマン帝国、セルビア、アルバニアなどそれぞれに言い分があり、関係国間の意見収斂がいかに難しいかがじつによくわかった。やはり百聞《ひゃくぶん》は一見に如《し》かずだ。この複雑なバルカン半島の民族問題、宗教問題、歴史問題のややこしさに比べれば、東アジアの歴史問題など単純に思えてくるから不思議である。それでは、筆者が当地で得た教訓は何だろうか。

1、【海に囲まれた日本は幸運だった】コソボ上空に入ってまず感じるのは、その地形の平坦さだ。北部と南部に山はあるが、自然の要塞《ようさい》には程遠い。肝心のセルビア方面には高い山がなく、同国からの軍事介入阻止はとくに難しい。もちろん、四方を海に囲まれた日本が地政学的にいかに「幸運か」は頭ではわかっていたが、実際にコソボ南部の旧都プリズレンまで車で往復してみて、陸上国境の脆弱さをあらためて痛感した。

ちなみにプリズレンは、市の中心にローマ帝国時代の城郭《じょうかく》から、セルビア正教の教会、カトリックの教会、イスラム教のモスク、ユダヤ教のシナゴーグ、オスマン帝国時代のハンマーム（浴場）までが不思議に併存する、市内全体が博物館のような美しいまちだった。真冬のいまでも楽しめたから、少し手を入れて整備すれば、素晴らしい観光地になるだろう。コソボならではのまち並みは一見の価値がある。

2、【覇権争いの周辺にいた日本は幸運だった】次に思ったのは、大国間の覇権争いとの距離の重要さだ。振り返ってみると、コソボは昔から、ローマ帝国、スラブ系、ブルガール系、セルビア系、イスラム系の侵入など、南欧で覇権を争う有力勢力が必ず通過する十字路に位置してきた。コソボに比べれば、遠い極東の北方に位置する日本が、イスラム勢力や植民地勢力の東アジア北上の直撃を受けなかったことは、正に幸運としか言いようがない。

3、【日本の幸運はもう続かない】問題はこうした幸運がいつまで続くかだ。軍事技術の進歩はいずれ島国日本の地政学的優位を失わせる。また、米露中間の対立の激化は、いずれ日本を三つの大国間の覇権争いの真ん中に放り込むだろう。そのときに備え、われわれはコソボの経験からいったい何を学ぶべきか。明日は車で北マケドニアの首都スコピエに移動するが、その答えは一年かけてじっくり考える価値がありそうだ。

前田精少将の記憶

多くの人が漠然と予感していたことが現実となった。二〇二〇年はイラン革命防衛隊クドゥス部隊ソレイマニ司令官暗殺で始まった。当初は米イラン戦争勃発の可能性について書くことも考えたが、この原稿は出張先のジャカルタで書き始めた。当地空港の正式名称はジャカルタ・スカルノ・ハッタ国際空港。ハッタとは初代大統領スカルノと共にインドネシア独立宣言に署名した建国の盟友である。

太平洋戦争勃発後、日本軍はオランダ領東インド全域（今日のインドネシア）からオランダ軍を放逐《ほうちく》し、植民地政府に囚《とら》われていたスカルノやハッタらを解放して民生の安定を図ろうとした。爾来《じらい》、日本軍はスカルノのような民族主義者を訓練し、将来のインドネシア国軍の基礎となる武装部隊を養成している。いまはあまり知られていないが、日本軍はインドネシア独立運動に深く関与していたのだ。

そのスカルノやハッタらは一九四五年八月十五日の翌日、それまで日本海軍武官府代表だった前田精《ただし》少将の公邸に集まり、独立宣言を起草する。当時前田は若干四十七歳、スカルノらは独立戦争への人的物的支援を要請したが、少将はそれを断り二階の寝室に籠《こも》ったという。すでに無条件降伏した日本軍は武器提供などできない。その後、同公邸は博物館となり、いまもジャカルタ市内に残っている。

前田邸の二階から外を眺めながら、七十五年前にインドネシアを「解放」し、将来の独立戦争を戦うことになるスカルノ、ハッタらを支援した日本軍に思いを馳《は》せた。郊外にある旧訓練学校では日本軍兵士がスカルノ、ハッタだけでなく、その後大統領となるスハルトら多くの指導者を日本式で育てたそうだ。もちろん、インドネシア「兵士」たちは日本刀を持っていた。その写真の前で筆者は思わず絶句した。

　あれから七十五年、日本では戦争に関する多くの記憶が失われた。ジャカルタ出張から帰国し、何人かの友人に前田少将の話をしたが、反応は鈍かった。二〇二〇年一月中旬、東京の関心はイランと米国の武力衝突の可能性やカルロス・ゴーンの不法出国ばかり。そういえば、ゼロ戦パイロットだった筆者の実父がボルネオ島インドネシア領のバリクパパンに駐留していたことを思い出した。

「コマンド」と「フォース」は違う

　帰国後あるテレビ番組で「宇宙軍事利用」について話せという依頼が舞い込んだ。トピックは「中国の宇宙開発」「アメリカ〝宇宙軍〟の実力」「日本は宇宙空間をどう防衛するか」など本格的なもの。内心かなり面食らった。優秀な若手軍事専門家との議論だったが、少なくとも最近設立された米国「宇宙軍」については、文字どおり、必死で勉強し直す羽目になった。

　久し振りに軍事専門誌に目を通し、何度目かの再発見があった。従来米国には陸海空三軍に加えて海兵隊と沿岸警備隊の合計五つの「軍種」がある。「軍種」とは軍隊組織の種類区分であり、日本では陸海空各自衛隊という三つの組織がこれに該当する。ところが、トランプ政権は二〇一八年六月、従来の五つに加え「スペース・フォース」なる新たな「軍種」の設立を指示した。これが混乱の始まりである。その後、国防総省は報告書を公表し、別途「スペース・コマンド」を創設するとした。一般に「コマンド」とは、「軍種」とは異なり、実際の戦争を遂行するため各軍種から提供される実働部隊を統合して戦う組織を指す。つまり、実際に戦争を指揮するのは「コマンド」であり、「軍種」は戦争をしない。「軍種」とはあくまで戦争に使われる部隊を維持・訓練・準備するだけのための組織である。

ややこしいことを言うなとお叱りを受けそうだが、きわめて重要なので、誤解を恐れず申し上げる。仮にある料亭で宴会があるとしよう。料亭の女将《おかみ》は「コマンド」の長であり、宴会で客を満足させる任務がある。しかし、この料亭には芸者も楽隊も料理人もいないから、これらはすべて外部調達するしかない。さてどうするか。

「コマンド」である料亭の女将は置屋から芸者さんを、音楽事務所からバンドを、仕出し屋からは懐石料理をそれぞれ調達する。これで初めて宴会が始まるのだ。この置屋と音楽事務所と仕出し屋が「軍種＝フォース」である。宴会の成功に責任を負うのはあくまで料亭の女将であって、置屋や仕出し屋ではない。こう言ったらわかっていただけるだろうか。

軍事の基本的知識こそ国家安全保障の基盤

　筆者がかくも拘《こだわ》る理由は、軍種であるスペース・フォースと、コマンドであるスペース・コマンドを、日本語ではいずれも「宇宙軍」と訳すケースがあまりに多いからだ。七十五年前なら常識だったはずの軍種と戦闘部隊の区別も、いまの日本では専門家のあいだですら明確に区別できていない。どうでもよいではないか、などと言うなかれ。こうした知識の積み重ねこそが国家安全保障の基盤ではないか。

　一事が万事だ。「平和国家」日本は過去七十五年のあいだに軍事の基本的知識を失ってしまった。戦争を放棄したのだから、軍事を知る必要はないのか。それは違う。むしろ戦争を回避するためには、正しい軍事知識が必要だ。七十五年前のインドネシアでの日本軍の行動を正確に理解するためにも、コマンドとフォースの違いぐらいは当然知っておくべきだろう。

畳の上で死んだアラファト議長の責任

「畳《たたみ》の上で死ぬ」。最近は畳のある家が少なくなったので、若い人はこの日本語表現を理解できないかもしれぬ。意味は「事故などで不慮の死を遂げるのではなく、家の中で穏やかに死ぬ」こと。PLOアラファト議長（一九二九―二〇〇四）であれば、正確には畳ではなく、「ベッドの上で死ぬ」とすべきかもしれない。このPLO議長が犯した歴史的過ちを通じ、外交交渉の鉄則について語ろう。

そもそもいまの若者は、PLOやアラファト議長など知らないだろう。PLOとはパレスチナ解放機構のこと。一九六四年にパレスチナ解放諸組織の統合機関として結成、一九七四年のアラブ首脳会議でパレスチナ人の唯一の正統代表と認められた。当初は武装闘争による解放をめざしたが、その後外交重視の現実路線に転換した。その組織の親分がヤセル・アラファト議長だ。

筆者が大学に入ったのは一九七三年、当時の若者にとって「パレスチナ」「解放」「武装闘争」には血沸き肉躍るがどこか淫靡《いんび》な響きがあった。当時の大学キャンパスは新左翼系の学生運動が全盛で、巨大な立て看板には独特の字体で「全学無期限ストライキ決行中！　日米安保粉砕！」などと書かれていた。あのころ学生生活はすべてが革命的だった。

当時パレスチナ解放は「アラブの大義」であり、イスラエルは「米帝国主義」の中東の手先だった。学界は総じて反米帝国主義、経済界は原油確保のアラブ詣《もう》でばかり。日本政府は一九七三年のオイルショックで「親アラブ」の官房長官談話を発表、事実上イスラエルとの関係凍結に舵を切った。その後政府がこの誤った政策を転換し、対イスラエル関係を正常化するのに十五年もかかった。

本題に戻ろう。現在のパレスチナ問題の起源は一九六七年の第三次中東戦争、イスラエルが東エルサレム、ガザ地区、シナイ半島、ヨルダン川西岸、ゴラン高原を占領したことだ。国連安保理決議２４２と３３８が相次いで採択され、イスラエル軍が最近の戦闘によって占領した諸領域からの撤退などが義務付けられた。これらの国連決議が中東和平問題の出発点であった。

その後シナイ半島は一九七三年、第四次中東戦争後にエジプトに返還されたが、他の占領地はいまもイスラエルが実効支配している。しかも、イスラエルは他のすべての占領地から撤退する気など毛頭ない。決議２４２違反じゃないかって？　いやいや、よく読むと同決議は決して「すべての占領地からの撤退」を義務付けてはいない。そんな馬鹿なと思うだろうが、法的にはそれが正しい読み方だ。

原文には「Withdrawal of Israeli armed forces from territories occupied in the recent conflict」とある。あくまで from territories occupied であって、from the territories occupied ではないのだ。定冠詞がないだけじゃないかって? それが大違いなのだ。日本語ではどちらも「最近の紛争で占領された領土」だろうが、定冠詞があれば「すべての」、なければ「すべての一部」からの撤退というニュアンスになる。

見事な外交ではないか。定冠詞が消えた理由は不明だが、親イスラエルの賢者がどさくさに紛れて消したのだろう。

「交渉結果を文章化する際は最大限の知恵を絞る」。これが外交交渉の鉄則:その一だ。外交巧者のイスラエルは、この定冠詞がないことを根拠にいまもヨルダン川西岸で入植地を拡大している。だが、パレスチナの悲惨な現状はアラファト議長にも責任がないわけではない。

和平プロセスは政治家の犠牲の上にある

筆者がそう考える理由はこうだ。一九七八年に米国の仲介でキャンプ・デービッド合意が成立、翌年にはエジプト・イスラエル平和条約が調印された。九三年にはオスロ合意でイスラエルとPLOがパレスチナ人暫定自治の原則に合意、中東和平プロセスは大きく進展した。

さらに、一九九八年には自治拡大に関するワイリバー合意が成立、筆者も含め、誰もが和平の実現に楽観的だったころだ。

ところが二〇〇〇年のキャンプ・デービッド首脳会議で、アラファト議長はイスラエル側の提案を拒否する。当時イスラエルは「西岸地区に六九カ所の入植地を維持するが、パレスチナ側には西岸地区の九割以上で支配権を認める」用意があった。最近トランプ政権が提案した「究極の取引」で認められた条件よりはるかに広大かつ寛大な内容だが、アラファト議長はこれを拒否したのだ。

外交交渉の鉄則：その二は「交渉では最初のオファーが最善」ということ。PLOは千載《せんざい》一遇《いちぐう》のチャンスを逃した。二〇〇〇年にイスラエルの提案を受け入れていたら、いまごろパレスチナには独立国家ができていただろう。アラファトは「パレスチナ人の占領地への帰還の権利」に拘《こだわ》り、歴史的妥協という命懸けの決断ができなかった。この交渉でも、最初のオファーがベストだったのだ。

中東和平プロセスは政治指導者の暗殺により進展してきた。イスラエルと平和条約を結んだエジプトのサダト大統領はイスラム過激派により暗殺された。オスロ合意に署名したイスラエルのラビン首相はユダヤ過激派に銃撃され死亡した。いまの和平プロセスはこれら勇気ある政治家の犠牲の上にある。ところが、アラファト議長はパレスチナ人の将来のための歴史的妥協に命を賭《か》けなかったのだ。

アラファト議長が「畳の上の死」を選んだことは、パレスチナ史上最大の不幸であると同時に、真の政治家が何をすべきで、何をすべきでないかを暗示している。古今東西、政治とは非情なゲームである。

あとがきにかえて

「ＳＭＡＰが出るテレビ、スマホで見れるんだって？」」、奥方からこう聞かれた某テレビ局の友人は得も言われぬ衝撃を受けたそうだ。活版印刷の発明からほぼ六世紀、新聞、雑誌、ラジオ、テレビと、メディアの情報伝達手段はつねに技術革新により進化してきた。しかし、今回ばかりはマスメディアにとって革命的ともいえる変化が起きつつあるという。

二〇一八年十一月の三連休に放送された元ＳＭＡＰ三人が出演するインターネットテレビ番組（「稲垣・草彅・香取３人でインターネットはじめます『72時間ホンネテレビ』」）に、七十二時間で七四〇〇万回ものアクセスがあった。これまでの最高が亀田興毅《こうき》出演時の五時間で一四〇〇万回だったから、なんと五倍以上。いくら元国民的アイドルグループメンバーの出演とはいえ、七四〇〇万という数字は衝撃だったと件の友人はいう。

おっと、ご挨拶が遅れてしまった。筆者ご縁があって、『Ｖｏｉｃｅ』の「巻頭言」を三年間、担当した。本書はそれらの原稿をもとに、大幅に修正・加筆したものである。

なぜ月刊誌の「巻頭言」がインターネットテレビの話かって？　これには深い訳《わけ》がある。われわれにとって月刊オピニオン誌とは何か、それが果たすべき役割は何かを象徴的に示唆しているいると思うからだ。

話をネットTVに戻そう。

同番組の配信元はAbemaTV（アベマティーヴィー）という知る人ぞ知る会社、テレビ朝日とネット業界の雄サイバーエージェントとの合弁企業だから、中身は本格的だ。実際の番組作りは既存のテレビ番組と大きく異なり、従来のようなテレビ業界特有の「しがらみ」のない、斬新なものになったという。詳しく聞いてみると、実態はたしかに革命的。たとえば、こんな具合だ。

しがらみの第一は、放送免許。免許が不要だから、番組さえ作れば、あとはそれをネット上に流すだけ。生放送も、オンデマンドも、配信時間も、チャンネル数も、すべて自由。電波の割り当ても、免許の更新も不要だ。設備投資は最小限で済むし、趣味や娯楽など各分野に特化したオタク・チャンネルの創出だって可能である。

第二のしがらみは、出演者の選定などに関わる業界特有のルールだ。インターネットTVとはいっても、まだまだ地上波の番組とは違い、本格配信は始まったばかり。その分、古いしきたりが大手を振ることは少ない。台本のない番組も多く、何が起きるかわからない魅力もある。予定調和のない自由度が番組の創造性を大いに高めるのだろう。

最後のしがらみは、テレビ視聴者層の高齢化だ。地上波はもちろん、ＢＳもＣＳも、とにかく最近の若者はテレビを見ない。一方、若者にとって興味深い番組がスマホでも見られるとなれば、彼らはいつでもどこでも視聴する。しかも、視聴者との繋がりは双方向だ。いずれインターネットＴＶは、テレビ業界に若者を取り戻す救世主となるかもしれない。

さて、ここからが本題。こうした若者の活字離れ、テレビ離れという逆風のなかで、月刊オピニオン誌は何をすべきなのか。どれどれ、と『Ｖｏｉｃｅ』の最新号を手に取ってみた。政治から経済、文化まで、多才な書き手による興味深い原稿が並んでいる。これで一冊八四〇円（税込み）なら安いと思うぐらいだが、どうして若者はもっと買ってくれないのだろう。

尊敬するある作家に「月刊誌はどうなるか」と聞いてみた。答えは「電話ボックス」と同じ、いずれなくなる運命にある、だった。しかし、完全に消えることはないだろう。人間が考える動物である限り、月刊オピニオン誌はなくならない、というのが筆者の持論。人間社会が続く限り、人間は「考え続ける」に違いないと思うからだ。

情報処理・伝達技術の飛躍的向上により、新情報を知る速度が等比級数的に増加している。月刊誌では遅いので週刊誌、週刊誌から日刊新聞、さらに新聞でも遅いので、ラジオ、テレビへと人びとの関心は移っていく。そのテレビですら、ニュース速報では質量ともインターネットに到底敵《かな》わない。

しかし、新しい情報を入手する時間が短くなった分、われわれは自らの思考を深めているだろうか。むしろ、状況は逆だ。テレビを見なくなった若者は、考えることなくスマホを視聴する。多くの人が情報の速さを競う半面、その情報が本当に正しいかを含め、物事をじっくりと「考える」時間はますます短くなっているのではないか。

「読む」ことは「考える」ことだ。されば、月刊オピニオン誌とは人間に「考える」贅沢《ぜいたく》な時間を与える貴重な媒体である。現在のような情報過多の時代だからこそ、人間には「考える」時間が必要だ。この先、人工知能（ＡＩ）がいかに発達しようと、人間の思考には敵わない。いや、ＡＩに人間の奥深い思考を超えさせるべきではないのだ。

今後とも、老若男女を問わず、人間の活字離れは続くだろう。他方、人間社会には必ず一定数の「知的エリート」が存在し続けるはずであり、その割合は決してゼロにはならない。万一ゼロになるときは、人間社会はインターネットとＡＩに支配され、人類が知的に滅亡するときでもあるからだ。

そうはいっても、今後人間社会は「考える」ことを怠り、それをＡＩに依存する多数の一般大衆と、いかにＡＩ化が進んでも「考える」ことに執着する少数の「知的エリート」に二分されていくかもしれない。これが人類の「進歩」であるはずはない。今後とも月刊オピニオン誌は知的エリートに「考える」贅沢な時間を提供し続けてほしいものだ。

ここまでお読み頂いた読者に対し心からの敬意を表したい。本書は二〇一八年一月号から三年間、月刊誌『Ｖｏｉｃｅ』に掲載された「巻頭言」を再構成したものであるが、この作業に当たってはＰＨＰ研究所の白地利成氏と中西史也氏から多くの知的御指導を頂いた。本書の優れた部分はすべて両氏のお陰であり、逆に、出来の悪い部分は全て筆者の責任である。

最後に、これまで同様、過去四十年近く、筆者を見捨てず、諦めずに付き合ってくれてきた妻にも感謝したい。

二〇二一年一月　バイデン米新大統領の就任式の日に

宮家邦彦

【初出】
『Voice』（PHP研究所）「巻頭言」
二〇一八年一月号〜二〇二〇年十二月号に加筆・修正

PHP新書
PHP INTERFACE
https://www.php.co.jp/

宮家邦彦［みやけ・くにひこ］

キヤノングローバル戦略研究所研究主幹。1953年神奈川県生まれ。78年東京大学法学部卒業後、外務省に入省。外務大臣秘書官、在米国大使館一等書記官、中近東第一課長、日米安全保障条約課長、在中国大使館公使、在イラク大使館公使、中東アフリカ局参事官などを歴任。2006年10月〜07年9月、総理公邸連絡調整官。09年4月より現職。立命館大学客員教授、中東調査会顧問、外交政策研究所代表、内閣官房参与（外交）。著書に『世界史の大逆転』（共著、角川新書）、『AI時代の新・地政学』（新潮新書）、『哀しき半島国家 韓国の結末』（PHP新書）など多数。

劣化する民主主義

PHP新書 1248

二〇二一年三月二日 第一版第一刷
二〇二一年三月三十日 第一版第二刷

著者――宮家邦彦
発行者――後藤淳一
発行所――株式会社PHP研究所
東京本部――〒135-8137 江東区豊洲5-6-52
第一制作部 ☎03-3520-9615（編集）
普及部 ☎03-3520-9630（販売）
京都本部――〒601-8411 京都市南区西九条北ノ内町11
組版――宇梶勇気
装幀者――芦澤泰偉＋児崎雅淑
印刷所 製本所――図書印刷株式会社

ISBN978-4-569-84861-7

ＰＨＰ新書刊行にあたって

「繁栄を通じて平和と幸福を」(PEACE and HAPPINESS through PROSPERITY)の願いのもと、ＰＨＰ研究所が創設されて今年で五十周年を迎えます。その歩みは、日本人が先の戦争を乗り越え、並々ならぬ努力を続けて、今日の繁栄を築き上げてきた軌跡に重なります。

しかし、平和で豊かな生活を手にした現在、多くの日本人は、自分が何のために生きているのか、どのように生きていきたいのかを、見失いつつあるように思われます。そして、その間にも、日本国内や世界のみならず地球規模での大きな変化が日々生起し、解決すべき問題となって私たちのもとに押し寄せてきます。

このような時代に人生の確かな価値を見出し、生きる喜びに満ちあふれた社会を実現するために、いま何が求められているのでしょうか。それは、先達が培ってきた知恵を紡ぎ直すこと、その上で自分たち一人一人がおかれた現実と進むべき未来について丹念に考えていくこと以外にはありません。

その営みは、単なる知識に終わらない深い思索へ、そしてよく生きるための哲学への旅でもあります。弊所が創設五十周年を迎えましたのを機に、ＰＨＰ新書を創刊し、この新たな旅を読者と共に歩んでいきたいと思っています。多くの読者の共感と支援を心よりお願いいたします。

一九九六年十月

ＰＨＰ研究所

PHP新書

［政治・外交］

318・319 憲法で読むアメリカ史（上・下） 阿川尚之
426 日本人としてこれだけは知っておきたいこと 中西輝政
745 官僚の責任 古賀茂明
826 迫りくる日中冷戦の時代 中西輝政
841 日本の「情報と外交」 孫崎 享
893 語られざる中国の結末 宮家邦彦
898 なぜ中国から離れると日本はうまくいくのか 石 平
920 テレビが伝えない憲法の話 木村草太
931 中国の大問題 丹羽宇一郎
954 哀しき半島国家 韓国の結末 宮家邦彦
967 新・台湾の主張 李 登輝
979 なぜ中国は覇権の妄想をやめられないのか 石 平
988 従属国家論 佐伯啓思
1000 アメリカの戦争責任 竹田恒泰
1024 ヨーロッパから民主主義が消える 川口マーン惠美
1060 イギリス解体、EU崩落、ロシア台頭 岡部 伸
1076 日本人として知っておきたい「世界激変」の行方 中西輝政
1083 なぜローマ法王は世界を動かせるのか 徳安 茂
1122 強硬外交を反省する中国 宮本雄二
1124 チベット 自由への闘い 櫻井よしこ
1135 リベラルの毒に侵された日米の憂鬱 ケント・ギルバート
1137 「官僚とマスコミ」は嘘ばかり 髙橋洋一
1153 日本転覆テロの怖すぎる手口 兵頭二十八
1155 中国人民解放軍 茅原郁生
1157 二〇二五年、日中企業格差 近藤大介
1163 A I 監視社会・中国の恐怖 宮崎正弘
1169 韓国壊乱 櫻井よしこ／洪 熒
1180 プーチン幻想 グレンコ・アンドリー
1188 シミュレーション日本降伏 北村 淳
1189 ウイグル人に何が起きているのか 福島香織
1196 イギリスの失敗 岡部 伸
1208 アメリカ 情報・文化支配の終焉 石澤靖治
1212 メディアが絶対に知らない2020年の米国と日本 渡瀬裕哉
1225 ルポ・外国人ぎらい 宮下洋一
1226 「NHKと新聞」は嘘ばかり 髙橋洋一
1231 米中時代の終焉 日高義樹
1236 韓国問題の新常識 Voice編集部［編］
1237 日本の新時代ビジョン 鹿島平和研究所・PHP総研［編］
1241 ウッドロー・ウィルソン 倉山 満

［経済・経営］

187 働くひとのためのキャリア・デザイン　金井壽宏

379 なぜトヨタは人を育てるのがうまいのか　若松義人

450 トヨタの上司は現場で何を伝えているのか　若松義人

543 ハイエク 知識社会の自由主義　池田信夫

587 微分・積分を知らずに経営を語るな　内山 力

594 新しい資本主義　原 丈人

620 自分らしいキャリアのつくり方　高橋俊介

752 日本企業にいま大切なこと　野中郁次郎／遠藤 功

852 ドラッカーとオーケストラの組織論　山岸淳子

892 知の最先端　クレイトン・クリステンセンほか［著］／大野和基［インタビュー・編］

901 ホワイト企業　高橋俊介

932 なぜローカル経済から日本は甦るのか　冨山和彦

958 ケインズの逆襲、ハイエクの慧眼　松尾 匡

985 新しいグローバルビジネスの教科書　山田英二

998 超インフラ論　藤井 聡

1023 大変化——経済学が教える二〇二〇年の日本と世界　竹中平蔵

1027 戦後経済史は嘘ばかり　髙橋洋一

1029 ハーバードでいちばん人気の国・日本　佐藤智恵

1033 自由のジレンマを解く　松尾 匡

1080 クラッシャー上司　松崎一葉

1084 セブン-イレブン1号店　繁盛する商い　山本憲司

1088 「年金問題」は嘘ばかり　髙橋洋一

1105 「米中経済戦争」の内実を読み解く　津上俊哉

1114 クルマを捨ててこそ地方は甦る　藤井 聡

1136 残念な職場　河合 薫

1162 なんで、その価格で売れちゃうの？　永井孝尚

1166 人生に奇跡を起こす営業のやり方　田口佳史／田村 潤

1172 お金の流れで読む　日本と世界の未来　ジム・ロジャーズ［著］／大野和基［訳］

1174 「消費増税」は嘘ばかり　髙橋洋一

1175 平成の教訓　竹中平蔵

1187 なぜデフレを放置してはいけないか　岩田規久男

1193 労働者の味方をやめた世界の左派政党　吉松 崇

1198 中国金融の実力と日本の戦略　柴田 聡

1203 売ってはいけない　永井孝尚

1204 ミルトン・フリードマンの日本経済論　柿埜真吾

1220 交渉力　橋下 徹

1230 変質する世界　Voice編集部［編］

1235 決算書は3項目だけ読めばいい　大村大次郎

［歴史］

［地理・文化］